全国优秀畅销书

小学奥数举一反三 A版

【每天15分钟】

3年级

主　编　蒋　顺　李济元
编　写　支红霞　徐　萍　李济元
　　　　崔　易　羌　燕　周　淼
　　　　顾　娟　丁　伟
动画创作　田小清

陕西出版集团
陕西人民教育出版社

图书在版编目(CIP)数据

小学奥数举一反三：A版.三年级/蒋顺,李济元主编.
—6版.—西安：陕西人民教育出版社，2012.5
ISBN 978-7-5450-1570-6

Ⅰ.①小...　Ⅱ.①蒋...②李…　Ⅲ.①小学数学课
—习题集　Ⅳ.①　G624.505

中国版本图书馆CIP数据核字(2012)第064834号

小学奥数举一反三　A版

三年级

蒋顺　李济元　主编

出　　版	陕西出版集团 陕西人民教育出版社
发　　行	陕西人民教育出版社
地　　址	西安市丈八五路58号
邮　　编	710077
网　　址	Http://www.snepublish.com
责任编辑	刘晓茹
责任校对	赵　馨
封面设计	徐文竹
版式设计	徐文竹
经　　销	各地新华书店
印　　刷	陕西友盛印务有限责任公司
开　　本	880毫米×1230毫米　1/32
印　　张	9.125
字　　数	185千字
版　　次	2012年5月第6版
印　　次	2015年3月第31次印刷
书　　号	ISBN 978-7-5450-1570-6
定　　价	16.50元

编写说明

十年磨一剑，今日把示君。十年的畅销，十年的实践，十年的信息采集和深入思考，我们迎来了“小学奥数举一反三系列”钻石版的出版。“小学奥数举一反三系列”给莘莘学子带来的成就感和自信心是读者口口相传、一如既往支持我们这一套丛书的理由。也因为这一份支持，我们这次修订不惜人力、物力，磨砺六年，精心为广大读者准备了一份同类图书中特别的大礼：**免费的动画解题视频和答疑服务。**相信我们的拳拳用心一定能让读者收获更大的自信心，同时也能让我们收获一份与时俱进的成就感。

“小学奥数举一反三系列”的十年，是我们不断总结成功的经验、不断挑战自我的十年。在编辑和读者的互动中，我们修订的主线逐渐明朗：**推出一个学习方法，形成一个学习理念，养成一个学习习惯。**

1. 一个学习方法：举一反三

子曰：“不愤不启，不悱不发。举一隅不以三隅反，则不复也。”体现在我们这一套书中，就是推崇这样一种学习方法：融会贯通、触类旁通。我们应拒绝囫囵吞枣、不求甚解、浅尝辄止。

2. 一个学习理念

任何技能的学习不可能重复一次就掌握，必须多次重复，多方面多角度地训练。学习是一种循序渐进的过程，不可能一蹴而就，应该持之以恒。

3. 一个学习习惯

学习不是为了教孩子做难题怪题，而是为了对思维进行训练，训练一种多角度思考问题的能力。举一反三是一种创新的学习，并非简单的模仿。我们这套丛书设计为每天学习 15 分钟，使学生养成一种学习的习惯——持续学习的习惯，终身学习的习惯。

钻石版主要做了以下方面的修订工作：

1. 动画解题模式的创立，全新诠释了举一反三的学习理念

动画解题视频让逻辑化的文字叙述和形象化的 FLASH 结合，使解题的思考步骤立体地呈现。右脑的形象思维与左脑的逻辑思维很好地结合，这是我们试图全新诠释“举一反三”理念的一种创举，同时也是对本书解题思路的一种“反三”。

2. 全方位地对图书内容进行改进，精益求精

十年的畅销，得到了广大读者的认同，同时在使用中也发现了许多不尽如人意的地方。这次修订，我们全方位地收集整理了原书中存在的问题，并做了实质性改进。主要表现在：(1)理顺了各个年级中相同专题的难度梯度(如平均数问题、植树问题、盈亏问题等)；(2)对于陈旧试题背景进行了更换(如旧的单位、称谓、物价、利率等)，使之反映现实生活的新背景，体现学生真实的生活情景；(3)增加了近年来的热点题型(如钟表问题)。相信细心的读者会感受到我们的用心。

衷心希望我们的努力，能对广大读者有真正的帮助。本书难免有不足之处，恳请广大读者批评指正，您的意见是对我们最大的支持。

我们的邮箱：aoshujuyifansan@sina.cn

博客：http://blog.sina.com.cn/aoshujuyifansan

微博：http://weibo.com/u/1932737325

孙玲　王玉

2012 年 4 月

目　录

第1周 数数图形

专题简析

小朋友，你想学会数图形的方法吗？要想不重复也不遗漏地数出线段、角、三角形……那就必须要有次序、有条理地数，从中发现规律，以便得到正确的结果。要正确数出图形的个数，关键是要从基本图形入手。首先要弄清图形中包含的基本图形是什么，有多少个，其次再数出由基本图形组成的新图形，最后求出它们的和。

○月○日

王牌例题①

数一数，下图中有几条线段？

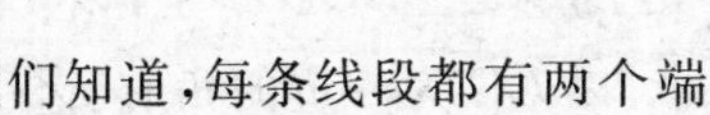

A　B　C　D　E

【思路导航】我们知道，每条线段都有两个端点，相邻两个端点间的线段为1条基本线段。图中的基本线段有 AB、BC、CD、DE 4条，由2条基本线段组成的线段有 AC、BD、CE 3条，由3条基本线段组成的线段有 AD、BE 2条，由4条基本线段组成的线段有

AE 1 条。因此，图中共有线段：4＋3＋2＋1＝10 条，列式如下：

$$4+3+2+1=10(\text{条})$$

答：此图共有 10 条线段。

举一反三 1

数出下图中各有多少条线段？

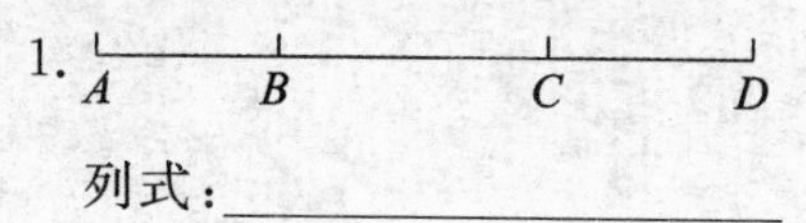

列式：________________

2. A　B　C　D　E　F

列式：________________

○月○日

王牌例题 2

数出下图中有几个角？

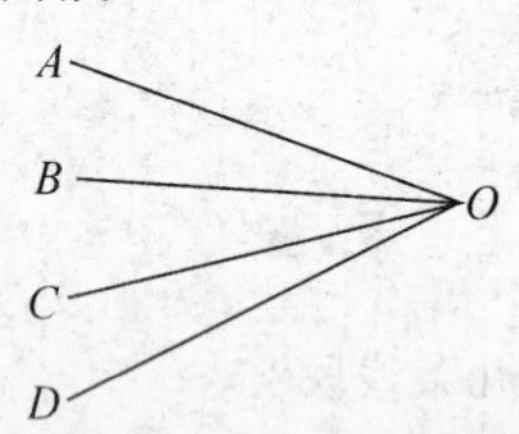

【思路导航】数角的个数可以采用数线段的方法。以 AO 为一边的角有：$\angle AOB$、$\angle AOC$、$\angle AOD$ 3 个；以 BO 为一边的角有：$\angle BOC$、$\angle BOD$ 2 个；以 CO 为一边的角有：$\angle COD$ 1 个。所以图中共有 3＋2＋1＝6 个角。

小朋友，如果把图中$\angle AOB$、$\angle BOC$、$\angle COD$ 看做基本角，那应该怎样数呢？动动脑筋吧！

举一反三 2

1. 数出下图中有几个角？

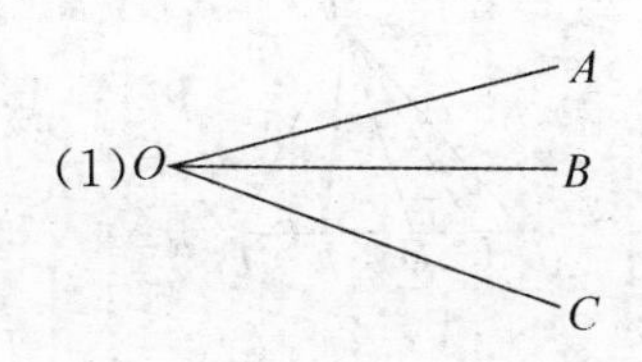

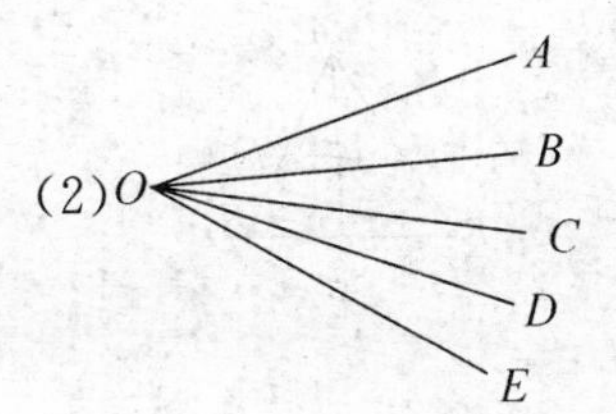

2. 数出下图中有几个三角形？

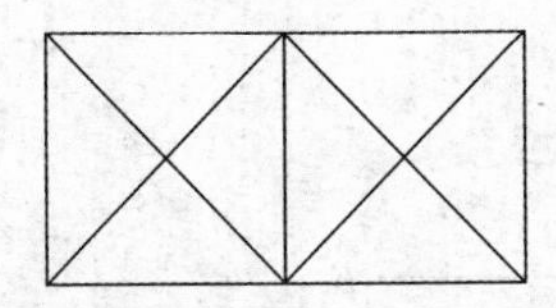

○月○日

王牌例题 3

数出下图中共有多少个三角形？

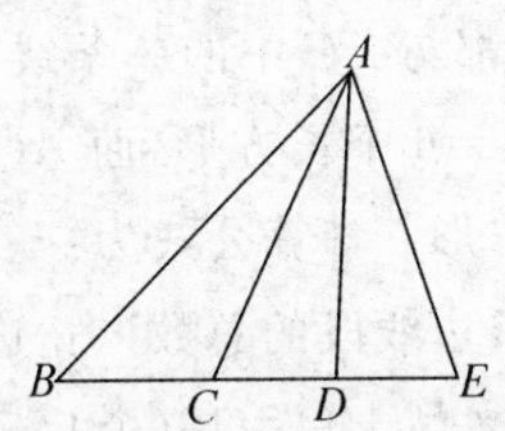

【思路导航】数三角形的个数也可以采用按边分类的方法来数。以 AB 为边的三角形有：$\triangle ABC$、$\triangle ABD$、$\triangle ABE$ 3 个；以 AC 为边的三角形有：$\triangle ACD$、$\triangle ACE$ 2 个；以 AD 为边的三角形有：$\triangle ADE$ 1 个。所以图中共有三角形 $3+2+1=6$ 个。我们还发现，要数出图中三角形的个数，只需数出 $\triangle ABE$ 的底边 BE 中包含几条线段就可以了，即含有 $3+2+1=6$ 条线段，所以图中共有 6 个三角形。

举一反三 3

数出下图中共有多少个三角形？

1.

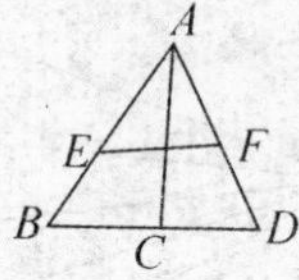

2.

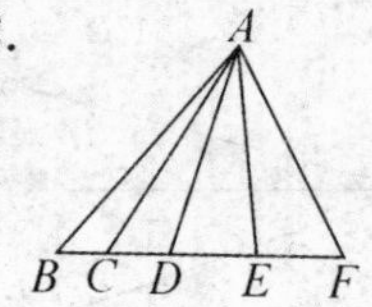

○月○日

王牌例题④

数出下图中有多少个长方形？

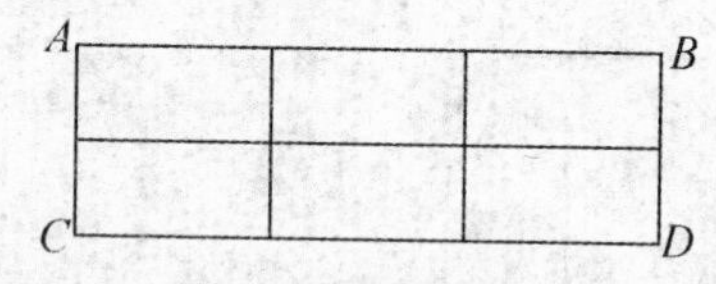

【思路导航】数图形中有多少个长方形和数三角形的方法一样，长方形是由长宽两对线段围成，线段 CD 上有 3＋2＋1＝6 条线段，其中每一条线段都与 AC 中的一条线段对应，分别作为长方形的长和宽，共有 6×1＝6 个长方形，而 AC 上共有 2＋1＝3 条线段，有 6×3＝18 个长方形。计算公式为：

长方形的总数＝长边线段的总数×宽边线段的总数

(3＋2＋1)×(2＋1)＝18(个)

答：图中共有 18 个长方形。

举一反三 4

1. 数出下图中有多少个长方形？

(1)

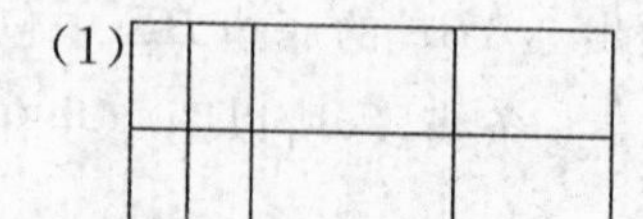

(2)

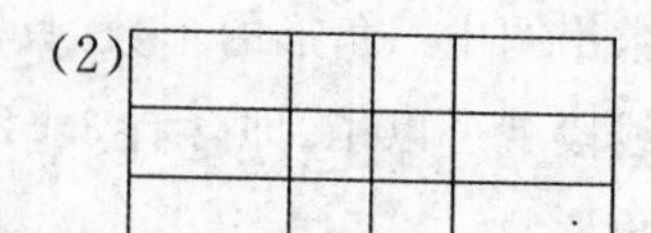

2. 数出下图中有多少个正方形？

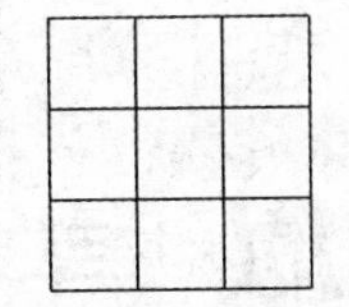

〇月〇日

王牌例题⑤

有 10 个小朋友，每 2 个人照一张合影，一共要照多少张照片？

【思路导航】这道题可以用数线段的方法来解答。根据题意画出如下线段图，每一个端点代表一个小朋友。

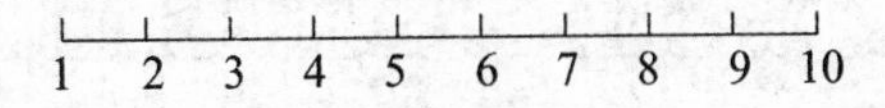

从图上可以看出，第 1 个小朋友要与其余 9 个小朋友合影，要照 9 张照片；第 2 个小朋友要与其余 8 个小朋友合影，要照 8 张照片……以此类推，第 9 个小朋友只要与 1 个小朋友合影，要照 1 张照片，所以共要照 $9+8+7+6+5+4+3+2+1=45$ 张照片。

举一反三 5

1. 三年级有六个班，每两个班要拔河比赛一次，一共要组织多少场比赛？

2. 有红、黄、蓝、白四个气球，如果每两个气球扎成一束，共有多少种不同的扎法？

3. 有 1～6 六个数字，能组成多少个不同的两位数？

第2周 寻找规律

专题简析

按照一定的顺序排列的一列数，只要从连续的几个数中找到规律，那么就可以知道其余的数。寻找数列的排列规律，除了从相邻两数的和、差考虑，有时还要从积、商考虑。善于发现数列的规律是解决填数问题的关键。

○月○日

王牌例题❶

在括号内填上合适的数。

(1)3,6,9,12,(　　),(　　)

(2)1,2,4,7,11,(　　),(　　)

(3)2,6,18,54,(　　),(　　)

【思路导航】(1)在3,6,9,12,(　　),(　　)中，前一个数加上3就等于后一个数，也就是相邻两个数的差都是3，根据这一规律，可以推知括号里分别应填15和18。

(2)在1,2,4,7,11,(　　),(　　)中，第一个数增加1等于第二个数，第二个数增加2等于第三个数，也就是每相邻两个数的差依次是1,2,3,4……这样下一个数应比11大5,所以应填16,再下一个数应比16大6,应填22。

(3)在2,6,18,54,(　　),(　　)中,后一个数是前一个数的3倍,根据这一规律可以推知括号里应分别填162和486。

所以这三个数列应是:

(1)3,6,9,12,(15),(18)

(2)1,2,4,7,11,(16),(22)

(3)2,6,8,54,(162),(486)

举一反三 1

1. 在括号里填上合适的数。

(1)2,4,6,8,10,(　　),(　　)

(2)1,2,5,10,17,(　　),(　　)

2. 按规律填数。

(1)2,8,32,128,(　　),(　　)

(2)1,5,25,125,(　　),(　　)

3. 先找规律再填数。

12,1,10,1,8,1,(　　),(　　)

○月○日

王牌例题 2

先找出规律,再在括号里填上合适的数。

(1)15,2,12,2,9,2,(　　),(　　)

(2)21,4,18,5,15,6,(　　),(　　)

(3)3,4,7,3,4,10,3,4,13,(　　),(　　),(　　)

【思路导航】(1)在15,2,12,2,9,2,(　　),(　　)中,第一个

数减3是第三个数,第三个数减3是第五个数,第二、四、六个数不变。根据这一规律,可以推知括号里分别应填6,2。

(2)在21,4,18,5,15,6,(　　),(　　)中,第一个数减3为第三个数,第三个数减3为第五个数;第二个数增加1为第四个数,第四个数增加1是第六个数。根据这一规律,可以确定括号里分别应填12,7。

(3)在3,4,7,3,4,10,3,4,13,(　　),(　　),(　　)中,每3项为一组,即:3,4,7,3,4,10,3,4,13,(　　),(　　),(　　),每组中的前两个数都是3,4,每组的第三个数都是前一组的第三个数加上3的和。根据这一规律,可以推知括号里分别应该填3,4,16。

所以这三个数列应是:

(1)15,2,12,2,9,2,(6),(2)

(2)21,4,18,5,15,6,(12),(7)

(3)3,4,7,3,4,10,3,4,13,(3),(4),(16)

举一反三 2

1.按规律填数。

(1)2,1,4,1,6,1,(　　),(　　)

(2)3,2,9,2,27,2,(　　),(　　)

2.在括号里填上适当的数。

(1)18,3,15,4,12,5,(　　),(　　)

(2)1,15,3,13,5,11,(　　),(　　)

3.找规律填数。

(1)4,7,8,4,6,13,4,5,18,(　　),(　　),(　　)

(2)1,2,3,2,4,6,3,8,9,(　　),(　　),(　　)

○月○日

王牌例题③

先找出规律,再在括号里填上合适的数。

(1)2,5,14,41,(　　)

(2)252,124,60,28,(　　)

(3)1,2,5,13,34,(　　)

(4)1,4,9,16,25,36,(　　)

【思路导航】(1)在2,5,14,41,(　　)中,第一个数2×3－1＝5是第二个数,第二个数5×3－1＝14是第三个数,依次类推,相邻两个数,前一个数乘以3减1等于后一个数,所以括号里应填122。

(2)在数列252,124,60,28,(　　)中,相邻的两个数,前一个数除以2的商减2等于后一个数,所以括号里应填12。

(3)在数列1,2,5,13,34,(　　)中,可以发现2×3＝1＋5,5×3＝2＋13,13×3＝5＋34,也就是从第二项开始,每一项乘3等于它前后相邻两数的和,所以括号里应填89。

(4)这列数比较特别,第一个数1×1＝1,第二个数2×2＝4,第三个数3×3＝9,可以看出它们分别为1×1,2×2,3×3,4×4,5×5,6×6……因而第七个数为7×7＝49。

所以这四个数列应是:

(1)2,5,14,41,(122)

(2)252,124,60,28,(12)

(3)1,2,5,13,34 (89)

(4)1,4,9,16,25,36,(49)

举一反三 3

1. 按规律填数。

(1)2,3,5,9,17,(　　),(　　)

(2)2,4,10,28,82,(　　),(　　)

2. 按规律填数。

(1)5,9,6,10,7,(　　)

(2)2,3,6,18,(　　)

3. 在括号里按规律填数。

6,12,20,30,42,(　　)

○月○日

王牌例题 4

根据前面图形里数的排列规律,在空缺处填入适当的数。

1.

5	10
9	14

7	12
11	16

9	14
13	

2.

4
16
8　2

3.

9	3	27
12	4	36
36	12	

【思路导航】1. 横着看,右边的数比左边的数多5;竖着看,下面的数比上面的数多4;斜着看,和相等。根据这一规律,空缺里应填18。

2. 通过观察可以发现前两个图形数之间有这样的关系:4×8

÷2=16,7×8÷4=14,也就是说中心的数是上面的数与左下方的数的乘积除以右下方的数,根据这个规律,9×4÷3=12,所以空缺处应填12。

3.横着看,在第一行和第二行中,第一个数除以3等于第二个数,第一个数乘3等于第三个数。根据这一规律36×3=108,所以空缺处应填108。

举一反三 4

找出下列排列规律,在空缺处填上适当的数。

1.

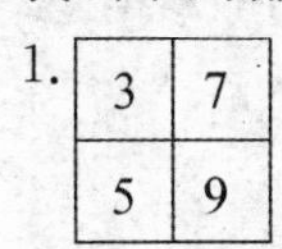

8	12
10	14

12	16
14	

2. 7 / 8 28

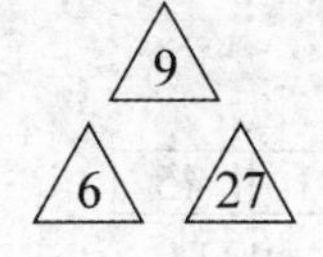

4 / 8 ( )

3.

5	15	12
7	21	18
9	27	

○月○日

王牌例题 5

按规律填数。

1. 187,286,385,(　　),(　　)

2.

23	31
2541	

41	23
4643	

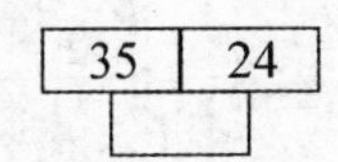

【思路导航】1.在 187,286,385,(　　),(　　)中,每个数十位上的数字 8 不变,百位上的数字是 1,2,3……依次增加 1,个位上的数字是 7,6,5……依次减少 1,并且百位上的数字与个位上的数字的和为 8。根据这一规律,括号里应填 484,583。

2.通过观察可以发现前两个图形里的数之间有一定的联系:左上方数十位上的数字和右上方数个位上的数字分别与下面数的千位、个位上的数字相同;左上方数与右上方数十位上的数字之和为下面数的百位上的数字;左上方数与右上方数个位上的数字之和为下面数的十位上的数字。根据这一规律,空格内应填 3594。

举一反三 5

根据规律,在空格内填数。

1.198,297,396,(　　),(　　)

2.

32	54
3864	

21	45
2665	

32	57

3.

37	25
3895	

22	45
2765	

34	25

第3周 加减巧算

专题简析

在进行加减运算时，除了要熟练地掌握计算法则外，还需要掌握一些巧算的方法。加减法的巧算主要是运用“凑整”的方法，把接近整十、整百、整千的数看做所接近的整数进行简算。

进行加减巧算时，凑整之后，对于原数与整十、整百、整千……相差的数，要根据“多加要减去，少加要再加，多减要加上，少减要再减”的原则进行处理。另外可以结合加法交换律、结合律以及减法的性质进行凑整，从而达到简算的目的。

○月○日

王牌例题①

你有好办法迅速算出结果吗？

(1)199＋74　　(2)347＋102

(3)784－297　　(4)1384－501

【思路导航】(1)计算199＋74时，把199看做200来计算比较简便，这样计算结果就比原来多1，再减去多加的1就得到正确的结果。

(2)在347＋102中，102接近100，把102看做100计算，这样就少加了2，最后再加上2就得到正确的结果。

(3)在784－297中，297接近300，把297看做300来计算，这样就多减了3，最后再加上3就得到正确的结果。

(4)在1384－501中，501接近500，把501看做500来计算，这样就少减了1，最后再减去1就得到正确的结果。

这四道题计算过程如下：

(1) 199＋74
＝200＋74－1
＝274－1
＝273

(2) 347＋102
＝347＋100＋2
＝447＋2
＝449

(3) 784－297
＝784－300＋3
＝484＋3
＝487

(4) 1384－501
＝1384－500－1
＝884－1
＝883

举一反三 1

1.计算。

(1)398＋64 (2)336＋502

(3)876－198 (4)2825－1003

2.想想怎样算最简便。

(1)903＋297 (2)903－297

3.你有好办法迅速算出结果吗？

502＋499－398－97

◯月◯日

王牌例题②

你有好办法迅速算出结果吗?

(1)83+78+80+77+84+79　(2)9999+999+99+9

【思路导航】(1)这道题的六个加数都接近 80,先把它们看做 80 来计算,这样计算结果就是 80×6=480,然后把少算的"零头"数加上,把多算的"零头"数减去,这样计算比较简便。

(2)这四个数都分别接近于整万、整千、整百、整十数,我们可以把 9999 看做 10000、999 看做 1000、99 看做 100、9 看做 10,这样每个数都多加了 1,最后再从它们和中减去 4 个 1,即可得出正确的结果。

这两道题计算过程如下:

(1) 83+78+80+77+84+79

=80×6+3-2-3+4-1

=480+1

=481

(2) 9999+999+99+9

=10000-1+1000-1+100-1+10-1

=10000+1000+100+10-4

=11110-4

=11106

举一反三 2

1.用简便方法求和。

(1)42+38+45+39+41+37

(2)66＋57＋65＋53＋60＋59＋62

2. 你能迅速写出结果吗？

(1)99999＋9999＋999＋99＋9　　(2)1999＋199＋19

3. 计算(说说计算思路)。

375＋283＋225＋17

○月○日

王牌例题③

你有好办法计算下面各题吗？

(1)487＋321＋113＋479　　(2)723－251＋177

(3)872＋284－272　　(4)537－142－58

【思路导航】(1)487 和 113、321 和 479，分别可凑成整百数，我们可通过交换位置的方法，487＋113 得到 600，321＋479 得到 800，然后 600＋800＝1400。

(2)723 与 177 可凑成整百数，用 723＋177 得到 900，900 再减 251，得数是 649。

(3)可以先用 872 减 272 得到整百数是 600，再用 600 加上 284，得数是 884。

(4)537 连续减 142 和 58，而 142 和 58 正好可以凑成整百数 200，所以用 537 减去 200，得数是 337。

计算过程如下：

(1) 487＋321＋113＋479
＝(487＋113)＋(321＋479)
＝600＋800
＝1400

(2) 723－251＋177
＝(723＋177)－251
＝900－251
＝649

(3) 872＋284－272

(4) 537－142－58

$=872-272+284$　　　　$=537-(142+58)$

$=600+284$　　　　$=537-200$

$=884$　　　　$=337$

举一反三 3

1.用简便方法计算。

(1)321＋127＋79＋73　　(2)89＋123＋11＋177

(3)235－125＋65

2.计算。

(1)483＋254－183　　(2)271＋97－171

(3)425－172－28

○月○日

王牌例题④

计算下面各题。

(1)321＋(279－155)　　(2)372－(54＋72)

(3)432－(154－68)

【思路导航】(1)321 加上 279 与 155 的差,可去括号转化为 321＋279－155,这里 321 和 279 可凑成整百数 600,再用 600 减 155 得到 445。

(2)372 减 54 与 72 的和,可去括号转化为 372 连续减 54 和 72,即 372－54－72,而 372 减 72 可得到整百数 300,再用 300 减 54 得到 246。

(3)432 减 154 与 68 的差,可去括号转化为 432－154＋68,因

为 432 与 68 可凑成整百数 500，再用 500 减 154 得到 346。

计算过程如下：

(1) 321＋(279－155)

＝321＋279－155

＝600－155

＝445

(2) 372－(54＋72)

＝372－72－54

＝300－54

＝246

(3) 432－(154－68)

＝432＋68－154

＝500－154

＝346

举一反三 4

1. 计算。

(1)421＋(179－125)　　(2)375＋(125－47)

(3)812＋(188－123)

2. 计算(说说计算思路)。

(1)523－(175＋123)　　(2)785－(231＋285)

(3)328－(284－172)

○月○日

王牌例题⑤

计算：1000－81－19－82－18－83－17－84－16

【思路导航】这道题看似复杂，但仔细观察便可发现用凑整的方法计算比较简便。

计算过程如下：

$$
\begin{aligned}
&1000-81-19-82-18-83-17-84-16\\
&=1000-[(81+19)+(82+18)+(83+17)+(84+16)]\\
&=1000-400\\
&=600
\end{aligned}
$$

举一反三 5

速算。

1. $500-99-1-98-2-97-3-96-4$

2. $1000-90-80-70-60-50-40-30-20-10$

3. $1000-91-1-92-2-93-3-94-4-95-5-96-6-97-7-98-8-99-9$

第4周 巧添符号

专题简析

根据题目给定的条件和要求，给算式添加运算符号和括号，使等式成立，这是一种很有趣的游戏。这种游戏需要动脑筋找规律，研究方法，一旦掌握了方法，就能事半功倍。

给算式添加运算符号这类问题，通常采用尝试探索法。主要的尝试方法有两种：

1.如果题目中的数字比较少，可以从算式的结果入手，推想哪些算式能得到这个结果，然后拼凑出所求的式子。

2.如果题目中的数字比较多，结果也较大，可以考虑先用几个数字凑出比较接近算式结果的数，然后再进行调整，使等式成立。

通常情况下，要根据题目的特点选择方法，有时将以上两种方法组合起来使用，更有助于问题的解决。

○月○日

王牌例题①

在下面算式中添上+、-、×、÷、(　　)，使等式成立。

1　2　3　4　5=10

1　2　3　4　5=10

1　2　3　4　5＝10

1　2　3　4　5＝10

【思路导航】对于这种问题，我们可以用倒推法来分析。从得数10去分析，算式左边最后一个数是5，可以分别从下面几种情况去思考：□＋5＝10，□－5＝10，□×5＝10，□÷5＝10。

(1)从[5]＋5＝10思考，左边前4个数必须组成得数是5的等式有：

(1＋2)÷3＋4＋5＝10

(1＋2)×3－4＋5＝10

(2)从[15]－5＝10思考，左边前4个数必须组成得数是15的等式有：

1＋2＋3×4－5＝10

(3)从[2]×5＝10思考，左边前4个数必须组成得数是2的等式有：

(1×2×3－4)×5＝10

(1＋2＋3－4)×5＝10

(4)从[50]÷5＝10思考，左边前4个数无法组成得数是50的等式。

举一反三 1

1. 你能在下面算式中添上运算符号，使等式成立吗？

(1)4　1　2　5＝10

(2)4　1　2　5＝10

2. 在下面各算式中添上适当的运算符号和括号，使等式成立。

(1)3　4　5　6　8＝8

(2)3　4　5　6　8＝8

3. 巧添运算符号及括号，使等式成立。

(1)3　3　3　3＝1

(2)3　3　3　3＝2

(3)3　3　3　3＝3

○月○日

王牌例题②

给下面各算式添上＋、－、×、÷或(　　)，使等式成立。你能试一试吗？

8　8　8　8＝0　　　　8　8　8　8＝1

8　8　8　8＝2　　　　8　8　8　8＝3

【思路导航】这道题除了可以用倒推法来分析，还可以这样去思考：

(1)等式左边等于0的思考方法：假设最后一步运算是减法，那么这四个数可以分成两组，这两组的和、差、积、商应该相等。有：

$8+8-(8+8)=0$　　　　$8\times8-8\times8=0$

$8-8-(8-8)=0$　　　　$8\div8-8\div8=0$

(2)等式左边等于1的思考方法：假设最后一步运算是除法，那么这四个数可以分成两组，这两组的和、积、商应该相等，相同的数相除得到1。有：

$(8+8)\div(8+8)=1$　　　　$8\times8\div(8\times8)=1$

$8\div8\div(8\div8)=1$　　　　$8\times8\div8\div8=1$

$8\div8\times8\div8=1$　　　　$8\div(8\times8\div8)=1$

(3)等式左边等于2的思考方法：假设最后一步运算是加法，那么这四个数分成两组，这两组数各为1。有：

8÷8+8÷8=2

(4)等式左边等于 3 的思考方法:假设最后一步运算是除法,那么把前三个数凑为 3 个 8。有:

(8+8+8)÷8=3

举一反三 2

1.在算式中添上+、-、×、÷或(　　),使等式成立。

4　4　4　4=0　　4　4　4　4=1　　4　4　4　4=2

4　4　4　4=3　　4　4　4　4=4　　4　4　4　4=5

2.巧添运算符号和括号,使等式成立。

5　5　5　5　5=0　　　5　5　5　5　5=1

5　5　5　5　5=2　　　5　5　5　5　5=3

3.用 8 个 8 组成 5 个数,再添上适当的运算符号,使它们的和等于 1000。

8　8　8　8　8　8　8　8=1000

○月○日

王牌例题③

在下面算式中添上+、-、×、÷,使下面等式成立。

5　5　5　5　5　5　5　5　5　5　5　5=1000

【思路导航】这道题的结果数字比较大,那我们就要尽量从算式左边凑出一些大的数来,使它与 1000 比较接近。555+555=1110,1110 比 1000 大了 110,我们就在剩下的 6 个 5 中凑出 110 并减掉就可以了。

555+555-55-55+5-5=1000

举一反三 3

1. 用 12 个 3 组成 8 个数，使它们的结果等于 2000。

3　3　3　3　3　3　3　3　3　3　3　3＝2000

2. 在下式中添上运算符号，使等式成立。

2　2　2　2　2　2　2　2　2＝1000

3. 用 7 个 6 组成 4 个数，使等式成立。

6　6　6　6　6　6　6＝600

○月○日

王牌例题 4

在下面算式中适当的地方添上＋、－，使等式成立。

9　8　7　6　5　4　3　2　1＝21

【思路导航】这道题左边的数字比较多，等号右边的得数是 21，可以考虑在等号左边最后两个数字 2、1 前面添“＋”，这时我们必须使 2、1 前的几个数字的计算结果为 0. 然后再用倒推的方法可以得出：

9－8＋7－6＋5－4－3＝0

9－8＋7－6＋5－4－3＋21＝21

举一反三 4

1. 在下面算式中适当的地方添上＋、－，使等式成立。

9　8　7　6　5　4　3　2　1＝23

2. 在下面算式中的适当地方添上＋、－、×，使等式成立。

1　2　3　4　5　6　7　8＝1

3. 在下面算式中适当的地方添上＋、－，使等式成立。

1　2　3　4　5　6　7　8＝14

○月○日

王牌例题5

改变下式中的一个运算符号，使等式成立。

1＋2＋3＋4＋5＋6＋7＋8＋9＝100

【思路导航】首先不妨算一算等号左边的值等于多少：1＋2＋3＋4＋5＋6＋7＋8＋9＝45，45 比 100 小 55，所以应尽量使等号左边的结果大一些。如果把 8 和 9 之间的"＋"改成"×"，这样等式左边的值就增加了 55，这样等式成立。

1＋2＋3＋4＋5＋6＋7＋8×9＝100

举一反三 5

1. 改变一个运算符号，使等式成立。

   1＋2＋3＋4＋5＋6＋7＋8＋9＋10＝45

2. 王老师在批改作业时发现小林同学抄题时丢了括号，但结果仍是正确的。请你给小林的算式添上括号。

   4＋28÷4－2×3－1＝4

3. 在下列算式中合适的地方添上括号，使等式成立。

   1＋2×3＋4×5＋6×7＋8×9＝303

第5周 算式之谜

专题简析

小朋友都喜欢猜谜语，你们知道数学中也有一种有趣的谜吗？一个算式中缺少几个数字，那就成了一道算式谜。算式谜又被称为“虫食算”，意思是说算式中的一些数字像是被虫子咬去了。

解算式谜，就是要将算式中缺少的数字补齐，使它成为一个完整的算式。

解算式谜的思考方法是推理加上尝试。先要仔细观察算式特征，由推理能确定的数先填上；不能确定的，要分几种情况，逐一尝试。分析时要认真分析已知数字与所缺数字之间的关系，找准解题的突破口。

○月○日

王牌例题1

在下面算式的□内，填上适当的数字，使等式成立。

```
  □ □ 8
×     □
———————
  7 9 2
```

【思路导航】已知第一个乘数个位是8,积的个位是2,可推出第二个乘数可能是4或9,但积的百位上是7,因而第二个乘数只能是4,第一个乘数百位上是1,那么第一个乘数十位上只能是9。所以算式可以这样填:

$$\begin{array}{r} 1\ 9\ 8 \\ \times\quad\ \ 4 \\ \hline 7\ 9\ 2 \end{array}$$

举一反三 1

在下式的□里填上适当的数,使等式成立。

1.
$$\begin{array}{r} \square\ \square\ 7 \\ \times\qquad\ \square \\ \hline 8\ 8\ 9 \end{array}$$

2.
$$\begin{array}{r} \square\ \square\ 9 \\ \times\qquad\ \square \\ \hline 1\ 8\ 3\ 2 \end{array}$$

3.
$$\begin{array}{r} \square\ \square\ 4 \\ \times\qquad\ \square \\ \hline 5\ 3\ 6 \end{array}$$

○月○日

王牌例题 2

在下面竖式的□内,填上适当的数字,使等式成立。

$$\begin{array}{r} \square\ \square \\ \times\quad\ \square \\ \hline 4\ \square\ 1 \end{array}$$

【思路导航】已知积个位是1,在所有乘法口诀中,积的末尾是1的有“一一得一、三七二十一、九九八十一”。但如果第二个乘数是1,积不可能是三位数;如果第二个乘数是3,积也不可能是四百多。因此第二个乘数只可能是7或9。如果第二个乘数是7,那第

一个乘数就是63;如果第二个乘数是9,第一个乘数就是49。所以算式可以这样填:

$$\begin{array}{r} 63 \\ \times \quad 7 \\ \hline 441 \end{array} \quad \text{或} \quad \begin{array}{r} 49 \\ \times \quad 9 \\ \hline 441 \end{array}$$

举一反三 2

在下式的□里填上适当的数,使等式成立。

1.
$$\begin{array}{r} \square\square \\ \times \quad \square \\ \hline 8\square 8 \end{array}$$

2.
$$\begin{array}{r} \square\square \\ \times \quad \square \\ \hline 5\square 7 \end{array}$$

3.
$$\begin{array}{r} \square\square \\ \times \quad \square \\ \hline 6\square 9 \end{array}$$

○月○日

王牌例题 3

下式中□里填哪些数字,可使这道除法算式成立。

$$\begin{array}{r} \square 5 \\ 6 \overline{)\square\square} \\ \square \\ \hline \square\square \\ \square\square \\ \hline 0 \end{array}$$

【思路导航】已知除数和商的某些位上的数,求被除数,可从商的末位上的数与除数相乘的积想起。$5\times6=30$，可知被除数个位为0，再想商十位上的数与6的乘积为一位数，这个数只能为1，这样确定商十位上的数为1，最后确定被除数十位上的数为$3+6=9$。

```
   □5             15             15
6)□0          6)□0          6)90
  □       →      6       →      6
   30             30             30
   30             30             30
    0              0              0
```

举一反三 3

在□里填上适当的数，使等式成立。

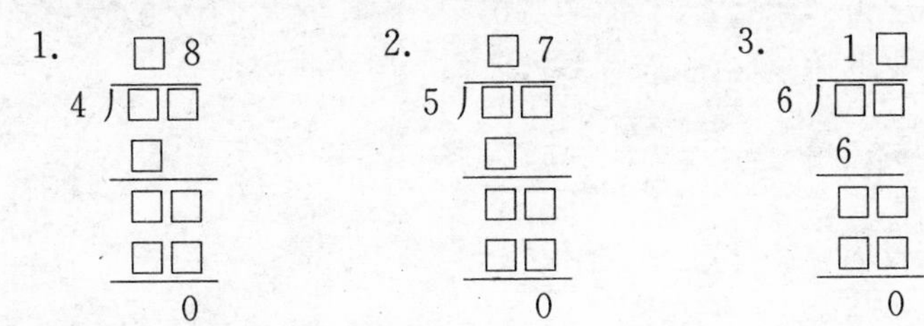

○月○日

王牌例题 4

在下面竖式的□里，各填入一个合适的数字，使等式成立。

```
   1□
7)□□
   7
   □□
   □□
    0
```

【**思路导航**】要求□里填哪些数，我们可以先想商的个位上是多少，商个位上的数与除数 7 相乘积是两位数的有 14，21，28，35，42，49，56，63，由此可确定被除数个位与商个位有以下八种情况：

$$\begin{array}{r} 12 \\ 7\overline{)\square 4} \\ 7 \\ \hline 14 \\ 14 \\ \hline 0 \end{array} \qquad \begin{array}{r} 13 \\ 7\overline{)\square 1} \\ 7 \\ \hline 21 \\ 21 \\ \hline 0 \end{array} \qquad \begin{array}{r} 14 \\ 7\overline{)\square 8} \\ 7 \\ \hline 28 \\ 28 \\ \hline 0 \end{array}$$

$$\begin{array}{r} 15 \\ 7\overline{)\square 5} \\ 7 \\ \hline 35 \\ 35 \\ \hline 0 \end{array} \qquad \begin{array}{r} 16 \\ 7\overline{)\square 2} \\ 7 \\ \hline 42 \\ 42 \\ \hline 0 \end{array} \qquad \begin{array}{r} 17 \\ 7\overline{)\square 9} \\ 7 \\ \hline 49 \\ 49 \\ \hline 0 \end{array}$$

$$\begin{array}{r} 18 \\ 7\overline{)\square 6} \\ 7 \\ \hline 56 \\ 56 \\ \hline 0 \end{array} \qquad \begin{array}{r} 19 \\ 7\overline{)\square 3} \\ 7 \\ \hline 63 \\ 63 \\ \hline 0 \end{array}$$

商个位上的数确定后，再想被除数十位上是多少，被除数十位上的数是商十位上的数乘除数加上第一次除后所得的余数。我们可以发现，商为 15，16，17，18，19 时，被除数十位上的数不是一位数，而是两位数，不合要求。所以这道题填法有三种：

$$\begin{array}{r} 12 \\ 7\overline{)84} \\ 7 \\ \hline 14 \\ 14 \\ \hline 0 \end{array} \quad 或 \quad \begin{array}{r} 13 \\ 7\overline{)91} \\ 7 \\ \hline 21 \\ 21 \\ \hline 0 \end{array} \quad 或 \quad \begin{array}{r} 14 \\ 7\overline{)98} \\ 7 \\ \hline 28 \\ 28 \\ \hline 0 \end{array}$$

举一反三 4

在下式的□里可填哪些数字？

1.
```
      1 □
   ┌────
 8 ) □ □
     8
   ─────
     □ □
     □ □
   ─────
       0
```

2.
```
      1 □
   ┌────
 5 ) □ □
     5
   ─────
     □ □
     □ □
   ─────
       0
```

3.
```
      6 □ □
   ┌────────
 8 ) □ □ 8 □
     □ □
   ─────────
       5 □
       □ □
   ─────────
         □ □
         □ □
   ─────────
           0
```

○月○日

王牌例题⑤

在下面竖式中的□里填上合适的数字。

```
          □ □ 4 □
     ┌────────────
   □ ) □ □ □ □ □ □
       □ 4
     ─────────────
           □ □
           □ 2
     ─────────────
               7
```

【思路导航】通过观察，我们发现由于余数为 7，则除数必须比 7 大，且被除数个位上应填 7，由于商是 4 时是除尽的，所以被除数十位上应为 2,同时 $3\times4=12$、$8\times4=32$,因而除数可能是 3 或 8,可除数必须比 7 大,因而除数只能是 8,因而被除数百位上是 3,而商的百位上为 0,商的千位是 8 或 3,因而填法如下:

```
      3040               8040
   ________           ________
 8 )24327           8 )64327
    24                 64
   ______             ______
      32                 32
      32                 32
   ______     或      ______
       7                  7
```

举一反三 5

在下面竖式中的□里填上合适的数字。

```
1.      □□2□               2.       □□6□
     __________                  __________
   □)□□□□□□                    □)□□□□□□
      □5                           □9
     ________                     ________
        □□                           □□
        □0                           □2
     ________                     ________
          4                             5

3.    □□4
     ______
   □)□□2
      6
     ____
      □□
      □1
     ____
       12
       12
     ____
        0
```

第6周 文字之谜

专题简析

一般说来,算式都是由一些数字和运算符号组成的,可有些算式却由汉字或英文字母组成,我们称它为文字算式。文字算式是一种数字谜,解答时要注意在同一道题中,相同的文字或英文字母应表示相同的数字,不同的文字或英文字母应表示不同的数字。

通过本周的学习,我们可以发现解文字算式谜与添加运算符号、填竖式的步骤与方法基本是一样的,都要仔细观察算式的特征,认真分析,正确选择解题的突破口,最后通过尝试寻找正确的答案。

○月○日

王牌例题1

下式中每个字各代表一个不同的数字,其中"心"代表9,请问其他汉字分别代表哪些数字?

$$
\begin{array}{r}
少年足球活动中心 \\
\times \quad\quad\quad\quad\quad\quad\quad 心 \\
\hline
少少少少少少少少少
\end{array}
$$

【思路导航】因为“心”=9,两个乘数个位相乘,“心”×“心”=9×9=81,所以“少”=1,乘积就是111111111。根据积,用乘数9去逐一乘第一个乘数,9×“中”积的个位数应该是3,所以“中”=7,往前一位进7;9×“动”积的个位数应是4,“动”=6,往前一位进6;9×“活”积的个位数字应是5,“活”=5,往前一位进5;9×“球”积的个位数字应是6,“球”=4,往前一位进4;9×“足”积的个位数是7,所以“足”=3,往前一位进3;9×“年”积的个位数是8,“年”=2,往前一位进2;9×1+2=11,即:

$$\begin{array}{r} 12345679 \\ \times \quad\quad\quad 9 \\ \hline 111111111 \end{array}$$

少=1　　年=2　　足=3　　球=4

活=5　　动=6　　中=7　　心=9

举一反三 1

1.下面每个汉字各代表不同的数字,这些汉字分别代表数字几?

$$\begin{array}{r} \text{儿童俱乐部} \\ \times \quad\quad\quad \text{儿} \\ \hline \text{部部部部部部} \end{array}$$

2.如果A、B满足下面算式,它们各代表几?

$$\begin{array}{r} A\ B \\ \times \quad B\ A \\ \hline 1\ 1\ 4 \\ 3\ 0\ 4\ \ \\ \hline 3\ 1\ 5\ 4 \end{array}$$

3. 下面每个汉字分别代表数字几？

$$
\begin{array}{r}
\text{世博成功举办} \\
\times \quad\quad\quad\quad \text{办} \\
\hline
\text{好好好好好好}
\end{array}
$$

○月○日

王牌例题②

下面不同的汉字代表不同的数字，相同的汉字代表相同的数字，它们各代表数字几？

$$
\begin{array}{r}
2\text{华罗庚数学} \\
\times \quad\quad\quad\quad 3 \\
\hline
\text{华罗庚数学}2
\end{array}
$$

【思路导航】由积的个位是2，乘数是3，可推出第一个乘数个位上"学"为4，$4\times3=12$，在积个位上写2，向十位进1；因为积十位上"学"为4，所以"数"×3应为3，推出"数"为1；因为"数"为1，第一个乘数百位上"庚"×3末位应为1，因而"庚"为7；第一个乘数千位上$5\times3+2=17$，在积的千位上写7，向万位进1，因而"罗"为5；第一个乘数万位上$8\times3+1=25$，在积万位上写5，向前一位进2，因而"华"为8，即：

$$
\begin{array}{r}
2\ 8\ 5\ 7\ 1\ 4 \\
\times \quad\quad\quad\quad 3 \\
\hline
8\ 5\ 7\ 1\ 4\ 2
\end{array}
$$

举一反三2

下面每个竖式中的汉字分别代表几？

1.

$$\begin{array}{r} 小\ 数\ 报 \\ \times\quad\quad 学 \\ \hline 1\ 6\ 7\ 3 \end{array}$$

2.

$$\begin{array}{r} 1\ 奥\ 林\ 匹\ 克\ 赛 \\ \times\quad\quad\quad 3 \\ \hline 奥\ 林\ 匹\ 克\ 赛\ 1 \end{array}$$

○月○日

王牌例题3

在下面的竖式中，a、b、c、d 各代表什么数字？

$$\begin{array}{r} a\ b\ c\ d \\ \times\quad\quad 9 \\ \hline d\ c\ b\ a \end{array}$$

【思路导航】仔细审题发现第一个乘数千位 $a\times9$ 的结果是一位数，于是就可以确定 a 只能是1。接着思考第一个乘数个位 $d\times9=1$ 是不可能的，所以应该是 $d\times9$ 等于几十一，于是确定 $d=9$。或者想第一个乘数千位上 $1\times9=9$，所以积中 d 一定是9。然后思考第一个乘数百位，发现 $b\times9$ 的积也是一位数，b 只能为0。最后确定剩下的 c 为8，因为只有 $8\times9=72$，$72+8=80$，积中才会有0，即：

$$\begin{array}{r} 1\ 0\ 8\ 9 \\ \times\quad\quad 9 \\ \hline 9\ 8\ 0\ 1 \end{array}$$

举一反三 3

1. 下面竖式中的字母各代表几？

$$\begin{array}{r} a\ 0\ b\ c\ 3 \\ -\quad s\ 7\ 2\ t \\ \hline 7\ 7\ 7 \end{array}$$

2.
$$\begin{array}{r} 7\ 5\ 8 \\ -\ A\ B\ C \\ \hline A\ B\ C \end{array}$$

$A+B+C=$(　　)

3. 下面竖式中，A、B、C 各表示什么数字？

$$\begin{array}{r} 4\ A\ 8 \\ \times\quad\ \ B \\ \hline 1\ C\ 6\ C \end{array}$$

○月○日

王牌例题 4

下面算式里，相同的汉字代表同一个数字，不同的汉字代表不同的数字，如果以下三个等式成立：

小小×朋朋＝友小小友

爱爱×科科＝爱学学爱

朋朋×朋朋＝小小学学

那么：　小＝(　　)朋＝(　　)友＝(　　)

爱＝(　　)科＝(　　)学＝(　　)

【思路导航】通过观察，我们发现第三个等式最特殊，它是相同的两位数相乘得到千位和百位、十位和个位分别相同的积，逐步试验，11×11、22×22 得不到四位数，然后从 33×33 试，我们发现 88×88＝7744，这样可以得出："朋"＝8，"小"＝7，"学"＝4。将"朋"＝8、"小"＝7 代入第一个算式中得出 77×88＝6776，确定"友"＝6，这样 0～9 中，只剩下 9，5，3，2，1，0 这几个数字，其中 0，1 不考虑，试后发现 55×99＝5445，所以"爱"＝5，"科"＝9，即：

小＝7　朋＝8　友＝6　爱＝5　科＝9　学＝4

举一反三 4

下面各式中的汉字各代表数字几？

1.
```
   庆 澳 门 回 归
×             欢
─────────────────
   归 回 门 澳 庆
```

2.
```
         不 懈 努 力
×              坚 持
────────────────────
   我 们 天 天 坚 持
```

3. 好好好好好好÷坚＝坚持再坚持

○月○日

王牌例题⑤

下面各式中"巨""龙""腾""飞"分别代表不同的数字，相同的汉字代表相同的数字。当它们各代表什么数字时，下列算式成立。

```
          腾 飞
       龙 腾 飞
+   巨 龙 腾 飞
───────────────
    2  0  0  1
```

【思路导航】先看个位，3 个"飞"相加的个位数字是 1，可推知

“飞”代表7;再看十位,三个“腾”相加,再加上个位进上来的2,所得的和的个位是0,可推知“腾”代表6;再看百位,两个“龙”相加,加上十位进上来的2,所得的和的个位是0,“龙”可能是4或9,考虑到千位上的“巨”不可能为0,所以“龙”只能是4,“巨”只能是1。

完整的竖式是:

$$
\begin{array}{r}
67 \\
467 \\
+\ 1467 \\
\hline
2001
\end{array}
$$

举一反三5

1.

		学	生
	好	学	生
+ 三	好	学	生
2	0	1	2

三=______　好=______

学=______　生=______

2.

			谜
		式	谜
	填	式	谜
+ 巧	填	式	谜
2	0	1	2

巧=______　填=______

式=______　谜=______

3.

		奥	运
	奥	运	开
+ 庆	奥	运	开
2	0	0	8

庆=______　奥=______

运=______　开=______

第7周 填数游戏

专题简析

小朋友都喜爱做游戏。填数游戏不但非常有趣，而且能促使你积极地思考问题、分析问题。但做填数游戏也有一定的难度，不过只要你掌握了方法，填起来就很轻松了。

填数时要仔细观察图形，确定图形中关键位置应填几，一般是图形的顶点或中间位置。另外要将所填的空与所提供的数字联系起来，一般要先计算所填数字的总和与所提供数字的总和之差，进而确定关键位置应填几。关键位置的数确定好了，其他问题就迎刃而解了。

○月○日

王牌例题1

在右图中分别填入数字1～9，使两条直线上的五个数的和相等，和是多少呢？

【思路导航】我们可以这样想，把1～9中间的数字5填到中心的○内，剩下八个数，一大一小，搭配成和是10的四组，这样两条直线上五个数的和都是5

$+10\times2=25$。

如果把 1 填在中心的○内，这样剩下的八个数可以一大一小搭配成和都是 11 的四组。这时两条直线上五个数的和是 $1+11\times2=23$。

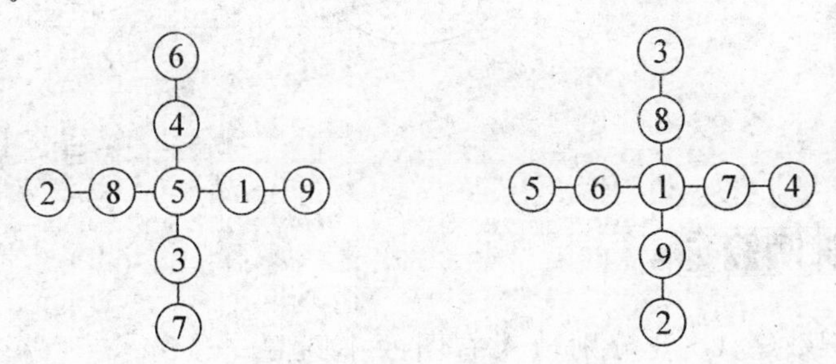

想一想，两条直线上五个数的和还可以是多少呢？

举一反三 1

1. 在下图中分别填入数字 2～10，使横行、竖行中的五个数的和相同。

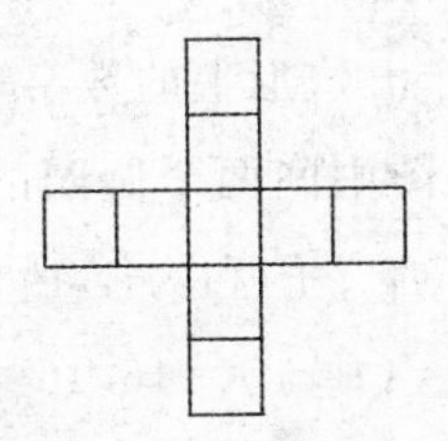

2. 把 1，4，7，10，13，16，19 七个数填入下图中的 7 朵花里，使每条直线上三个数的和相等。

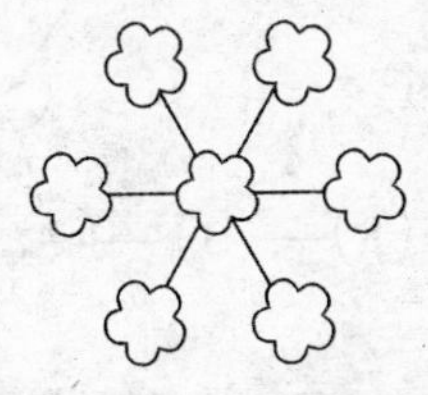

3. 把 6，8，10，12，14，16，18 这七个数填在下图的小圆圈中，使每条直线上三个数及大圆圈上三个数的和都是 32。

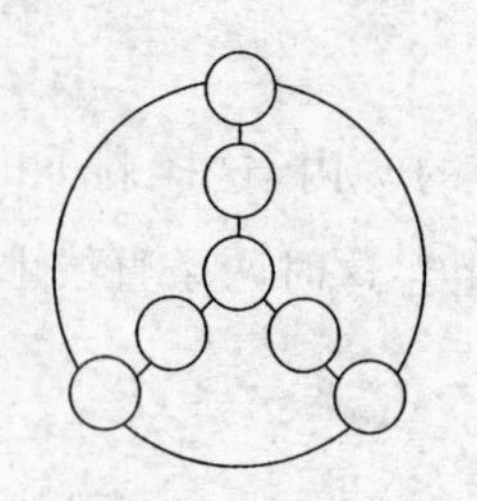

○月○日

王牌例题②

把数字1～8分别填入右图的小圆圈内，使每个五边形上的五个数的和都等于20。

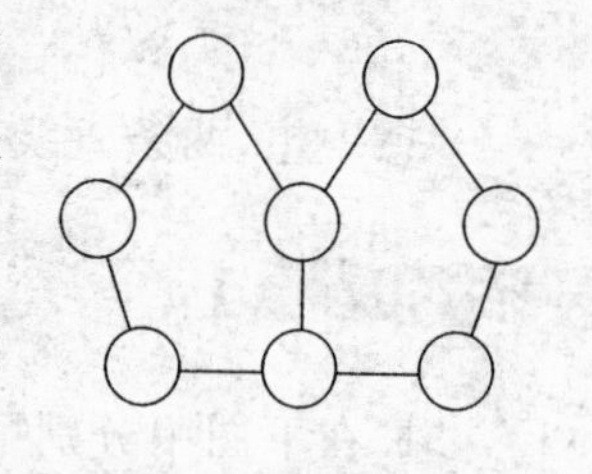

【思路导航】题目中所给八个数字的和是1＋2＋3＋4＋5＋6＋7＋8＝36，题中要使每个五边形上五个数的和都等于20，那么两个五边形上数字的总和是20×2＝40。两个五边形上的数字总和比八个数的和多40－36＝4，多4的原因是图中间两个圆圈的数字算了两次，即多算了一次。1～8中只有1加3的和为4，所以先确定中间两个圆圈一个填1，一个填3。20－(1＋3)＝16，16可以分成16＝2＋6＋8、16＝4＋5＋7。所以本题填法如下：

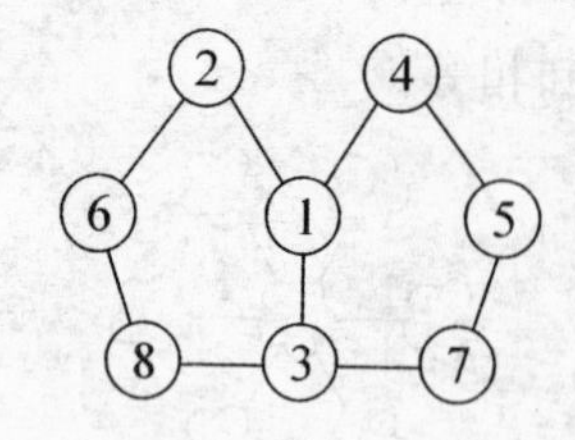

举一反三2

1. 将数字1～6填入下图中的小圆圈内，使每个大圆上四个数字的和都是 15。

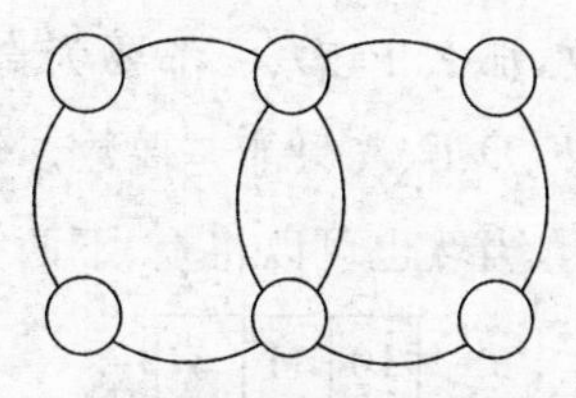

2. 把 5,6,7,8,9,10 这六个数填入下图三角形三条边的小圆圈内,使得每条边上的三个数的和都是 21。

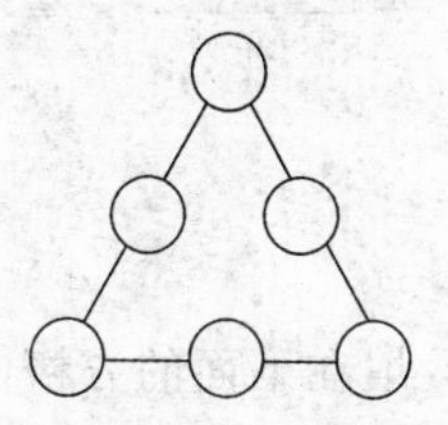

3. 把 1～8 这八个数分别填入下图的各个小方格内,使得每一横行、每一竖行的三个数的和都是 13。

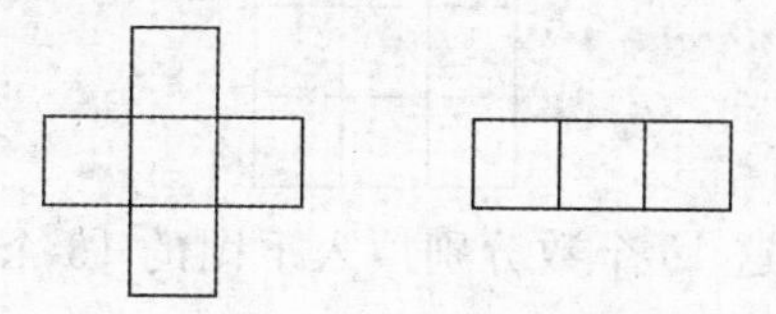

○月○日

王牌例题③

用 5～13 这九个数字补全右图的方格,使每行、每列及对角线上的三个数之和相等。

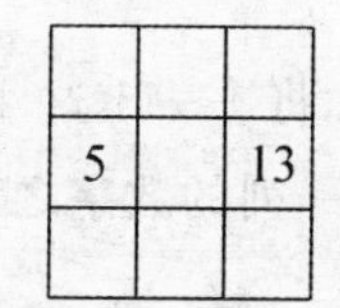

【思路导航】题中所给九个数字之和是 $5+6+7+8+9+10+11+12+13=81$,因此每条线上三个数之和为 $81\div3=27$,可以确定中间数为 9。为了叙述方便,其余各格内的数字用字母表示,如

下图(1)，这样就有 $A+9+F=A+5+D=C+9+D=C+13+F=27$。如果 A 为奇数，那么 F、D、C 都要为奇数，但是这九个数中没有那么多奇数，故 F、D、C、A 只能是偶数。经试验，其余的数可以确定为如下图(2)所示，当然也可以将上、下两行对调，如下图(3)。

A	B	C
5	9	13
D	E	F

(1)

10	11	6
5	9	13
12	7	8

(2)

12	7	8
5	9	13
10	11	6

(3)

举一反三 3

1. 将 1～9 这九个数填在下面的方格内，使横行、竖行、对角线上的三个数的和都为 15。

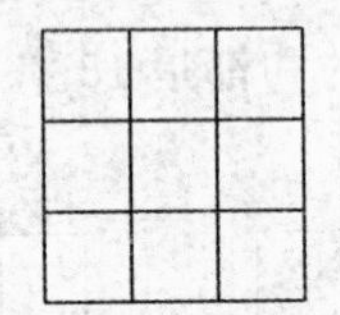

2. 将 1～16 这 16 个数分别填入下图的 16 个方格内，使每行、每列、两条对角线上四个数字的和都相等。

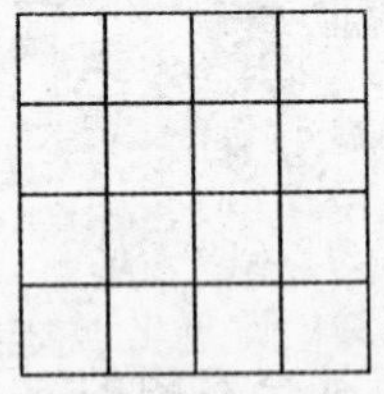

3. 将 1～11 这 11 个数分别填入下面的“王”字格中，使每一行、每一列的数字之和都等于 18。

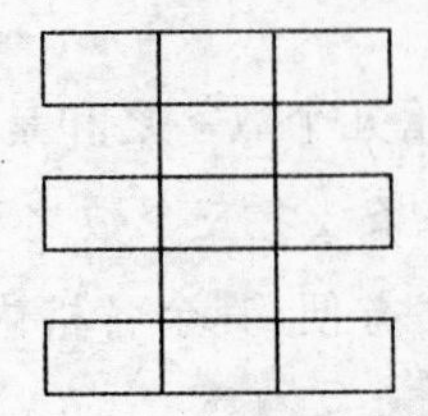

○月○日

王牌例题④

请你将数字 1,2,3,4,5,6,7 填入下图的小圆圈中,使大、小圆环上的三个数之和以及每条直线上三个数之和都相等。

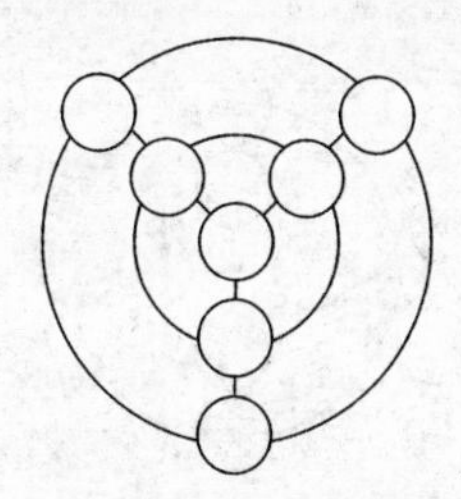

【思路导航】假设每条直线上三个数的和为 a,a 也是每个圆环上三个数的和,把它们加起来总和为 $5a$。总和 $5a$ 中中央的数被算了 3 次,其余的数被算了 2 次,因而用 $5a-2\times(1+2+3+4+5+6+7)=5a-56$ 就是中央的数。又因为 $5\times11<56$,$5\times13-56=9>7$,因而 $a=12$,中央数是 4。有了中央数和各个数的总和我们很快就可填出:

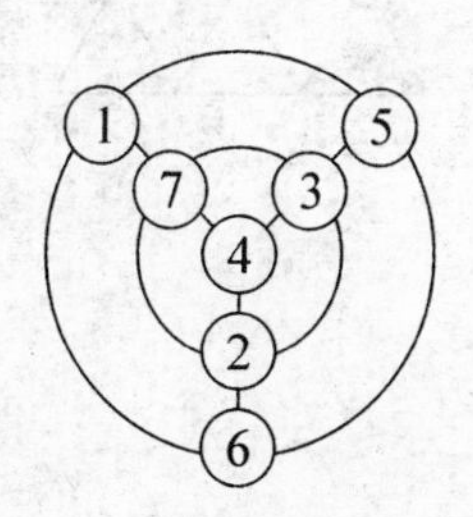

举一反三 4

1.将数字 2,3,4,5,6,7,8 填入圆圈内,使每个三角形上的三个数之和以及每条直线上的三个数之和都相等。

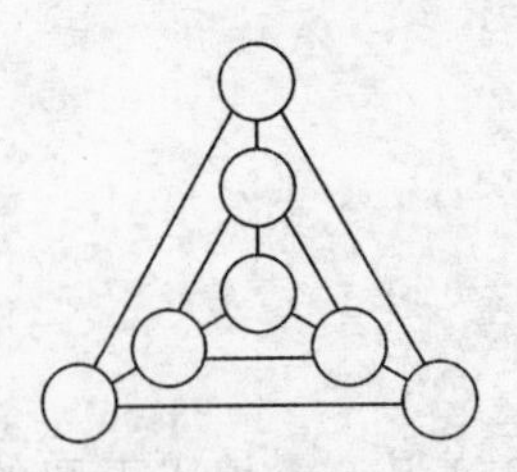

2.将 1～8 这八个数填入小圆圈中，使横线、竖线、大、小两个圆环上四个数的和都相等。

3.把 1～9 这九个数填入下面九个小三角形中，使大三角形每条边上的五个小三角形内的数字之和都相等。这个和最小是多少？

○月○日

王牌例题⑤

在右图各圆空缺部分分别填上 3，5，7，8，使每个圆中四个数的和都等于 21。

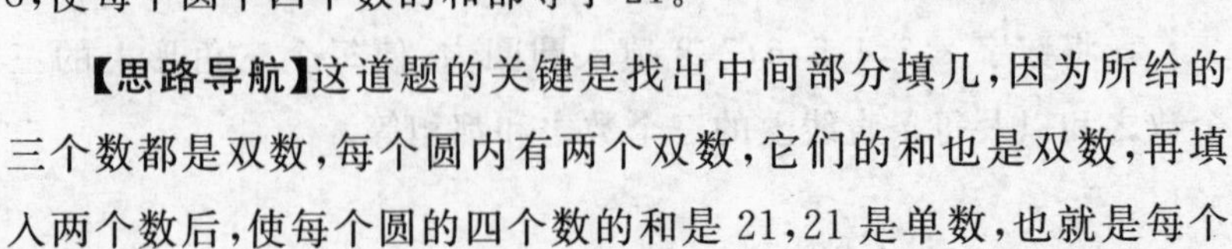

【思路导航】这道题的关键是找出中间部分填几，因为所给的三个数都是双数，每个圆内有两个双数，它们的和也是双数，再填入两个数后，使每个圆的四个数的和是 21，21 是单数，也就是每个

圆内填入的两个数的和为单数，而 3,5,7,8 中，3,5,7 都是单数，要使和仍为单数，8 要填入中间部分，即：

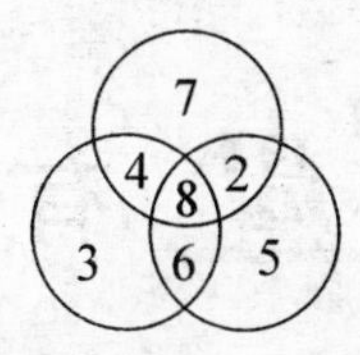

举一反三 5

1. 在下图中各圆的空缺部分分别填上 1,2,4,6，使每个圆中四个数的和都是 15。

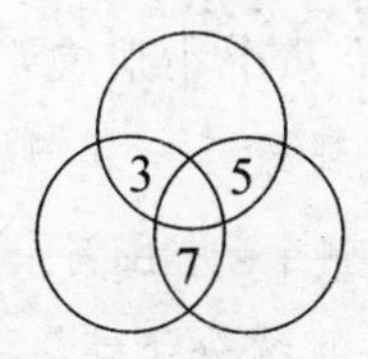

2. 在下图中各圆空缺部分分别填上 4,5,7,9，使每个圆中四个数的和都是 27。

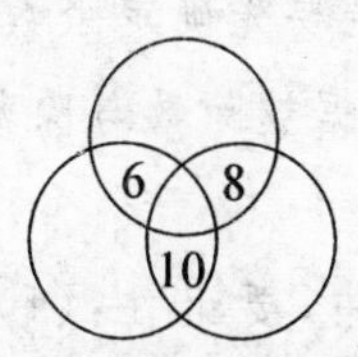

3. 在下图中各圆空缺部分分别填上 6,8,10,11，使每个圆中四个数的和都是 33。

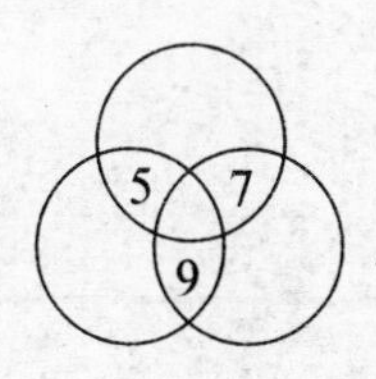

第8周 有余除法

专题简析

把一些书平均分给几个小朋友，要使每个小朋友分得的本数最多，这些书分到最后会出现什么情况？一种是全部分完，还有一种是有剩余，并且剩余的本数必须比小朋友的人数少，否则还可以继续分下去。每次除得的余数必须比除数小，这是有余数除法计算中特别要注意的。

解这类题的关键是要先确定余数，如果余数已知，就可以确定除数，然后再根据被除数与除数、商和余数的关系求出被除数。

在有余数的除法中，要记住：(1)余数必须小于除数；(2)被除数＝商×除数＋余数。

○月○日

王牌例题1

在算式□÷6＝8……□中，根据余数写出被除数最大是几？最小是几？

【思路导航】除数是6，根据余数比除数小，余数可填1，2，3，4，

5，根据除数×商+余数=被除数，已知商、除数、余数，可求出最大的被除数为 6×8+5=53，最小的被除数为 6×8+1=49。列式如下：

6×8+5=53

6×8+1=49

即被除数最大是 53，最小是 49。

举一反三 1

1. 下面算式中被除数最大可填几，最小可填几？

□÷8=3……□

2. 你能写出下式中最大的被除数和最小的被除数吗？

□÷4=7……□

3. 下式中要使除数最小，被除数应为几？

□÷□=12……4

○月○日

王牌例题 2

算式 28÷(　　)=(　　)……4 中，除数和商各是多少？

【思路导航】根据“被除数=商×除数+余数”，可以得知“除数×商=被除数−余数”，所以本题中商×除数=28−4=24。商和除数可能是 1 和 24、2 和 12、3 和 8、4 和 6，又因为余数为 4，因此除数可以是 24，12，8，6，商分别为 1，2，3，4。

28÷24=1……4　　　　28÷8=3……4

28÷12=2……4　　　　28÷6=4……4

即除数和商分别是 24，1；12，2；8，3；6，4。

举一反三 2

1. 下列算式中，除数和商各是几？

(1)22÷(　　)=(　　)……4

(2)65÷(　　)=(　　)……2

(3)37÷(　　)=(　　)……7

(4)48÷(　　)=(　　)……6

2.149除以一个两位数,余数是5,请写出所有这样的两位数。

○月○日

王牌例题③

在算式(　　)÷7=(　　)……(　　)中,商和余数相等,被除数可以是哪些数?

【思路导航】题目中告诉我们除数是7,商和余数相等,因为余数必须比除数小,所以余数和商可为1,2,3,4,5,6,这样被除数就可以求得了。

$7\times1+1=8$　　$7\times4+4=32$

$7\times2+2=16$　　$7\times5+5=40$

$7\times3+3=24$　　$7\times6+6=48$

即被除数可以是8,16,24,32,40,48。

举一反三3

1.下列算式中,商和余数相同,被除数可以是哪些数?

(1)(　　)÷6=(　　)……(　　)

(2)(　　)÷5=(　　)……(　　)

(3)(　　)÷4=(　　)……(　　)

(4)(　　)÷3=(　　)……(　　)

2.一个三位数除以15,商和余数相等,请你写出五个这样的除法算式。

3.在算式(　　)÷9=(　　)……(　　)中,商和余数相等,被除数最大是几?

○月○日

王牌例题④

在算式(　　)÷(　　)=(　　)……4中,除数和商相等,被除数最小是几?

【思路导航】题目中告诉我们余数是4,除数和商相等,因为余数必须比除数小,所以除数必须比4大,但题中要求最小的被除数,因而除数应填5,商也是5,5×5+4=29,所以被除数最小是29。

举一反三4

1.下面算式中,除数和商相等,被除数最小是几?

(1)(　　)÷(　　)=(　　)……6

(2)(　　)÷(　　)=(　　)……8

(3)(　　)÷(　　)=(　　)……3

2.有一个除法算式,它的余数是9,除数和商相等,被除数最小是几?

3.有一个除法算式,它的除数是7,商和余数相等,被除数最小是几?

○月○日

王牌例题⑤

在算式12÷(　　)=(　　)……(　　)中,不同的余数有几个?

【思路导航】这是一道关于被除数是12的有余数除法。我们知道，12 除以 1，2，3，4，6，12 时均没有余数，所以本题中的除数只能是 5，7，8，9，10，11。相应地写出这六道除法算式，便可知道有多少个不同的余数。

12÷5＝2……2　　　　12÷9＝1……3

12÷7＝1……5　　　　12÷10＝1……2

12÷8＝1……4　　　　12÷11＝1……1

而当除数是 5 和 10 时，余数相同，所以不同的余数有 2，5，4，3，1，共五个。

举一反三 5

1. 在算式 18÷（　　）＝（　　）……（　　）中，不同的余数有多少个？

2. 除法算式 $A÷9=B……C$ 中，B、C 都是一位数，A 最大是多少？

3. 甲、乙两数的和是 23，甲数除以乙数商 2 余 2，求甲数和乙数各是多少？

第9周 周期问题

专题简析

在日常生活中，有一些按照一定规律不断重复的现象，如十二生肖、一年有春夏秋冬四个季节、一个星期有七天等等。像这样日常生活中常碰到的有一定周期的问题，我们称为简单的周期问题。这类问题一般要利用余数的知识来解答。

在研究这些简单周期问题时，我们先要仔细审题，找出其不断重复出现的规律，然后利用除法算式求出余数，最后根据余数求出正确的结果。

○月○日

王牌例题①

有一列数5,6,2,4,5,6,2,4……

(1)第129个数是多少?

(2)这129个数相加的和是多少?

【思路导航】(1)从排列可以看出，这列数是按5,6,2,4一个循环依次不断重复出现排列，那么一个循环就是4个数，由129÷4=

32……1 可知，有 32 个(5,6,2,4)还剩一个数，所以第 129 个数是 5。

(2)每个循环各数之和是 5+6+2+4=17，所以这 129 个数相加应是 17×32+5=549。

(1)第 129 个数是 5。

(2)这 129 个数之和是 549。

举一反三 1

1. 有一列数 1,4,2,8,5,7,1,4,2,8,5,7……

(1)第 58 个数是多少？

(2)这 58 个数相加的和是多少？

2. 小青把积存下来的硬币按面值先四个 1 分，再三个 2 分，最后两个 5 分这样的顺序一直往下排。

(1)他排列到第 111 个是面值几分的硬币？

(2)这 111 个硬币面值加起来是多少元钱？

3. 河岸上种了 100 棵桃树，第一棵是蟠桃，再后面两棵是水蜜桃，再后面三棵是大青桃。接下去总是按一棵蟠桃、两棵水蜜桃、三棵大青桃这样的规律种下去。问第 100 棵是什么桃树？三种桃树各有多少棵？

○月○日

王牌例题②

我国农历用鼠、牛、虎、兔、龙、蛇、马、羊、猴、鸡、狗、猪这 12 种动物按顺序轮流代表年号。例如，第一年如果属鼠年，第二年就属牛年，第三年就属虎年。如果公元 1 年属鸡年，那么公元 2001 年属什么年？

【思路导航】一共有12种动物，因此12为一个循环，为了便于思考，我们把狗、猪、鼠、牛、虎、兔、龙、蛇、马、羊、猴、鸡看做一个循环，从公元2年到公元2001年共经历了2000年（算头不算尾），$2000 \div 12 = 166 \cdots\cdots 8$，从狗年开始往后数8年，公元2001年属蛇年。

$$2000 \div 12 = 166 \cdots\cdots 8$$

答：公元2001年属蛇年。

举一反三 2

我国农历用鼠、牛、虎、兔、龙、蛇、马、羊、猴、鸡、狗、猪12种动物轮流代表年号。

1. 如果公元3年属猪年，那么公元2000年属什么年？

2. 如果公元6年属虎年，那么公元21世纪的第一个虎年是哪一年？

3. 公元2001年属蛇年，公元2年属什么年？

○月○日

王牌例题③

A	B	C	A	B	C	A	B	……
万	事	如	意	万	事	如	意	……

上表中每一列两个符号组成一组，如第一组“A万”，第二组“B事”……问第20组是什么？

【思路导航】观察上表，我们可以找到表中有两个独立的排列规律。上面一行以“A、B、C”三个字母为一个周期重复出现，下面一行以“万、事、如、意”四个字为一个周期重复出现。要求第20组是哪两个符号，必须分别求出上、下两行各是什么符号才行。

我们首先求上一行是什么字母？20÷3＝6 组……2 个，说明第 20 个字母是“B”；下一行的字是什么？20÷4＝5 组，说明第 20 个字是“意”。所以第 20 组是“B 意”。

举一反三 3

1.

a	b	c	d	a	b	c	d	……
1	2	3	1	2	3	1	2	……

上表中每一列两个符号为一组，如第一组为“$a1$”，第二组为“$b2$”……问第 25 组是什么？

2. 有同样大小的红珠、白珠、黑珠共 120 个，按先 3 个红珠后 2 个白珠再 1 个黑珠排列。问：

(1)白珠共有多少个？

(2)第 68 个珠子是什么颜色？

3. 课外活动课上，有四个同学在进行报数游戏，他们围成一圈，甲报“1”，乙报“2”，丙报“3”，丁报“4”，每个人报的数总比前一个人多 1。问 45 是谁报的？123 呢？

王牌例题 4

在一根绳子上依次穿 4 颗红珠、2 颗白珠、1 颗黑珠，并按此方式重复。如果从头开始一共穿了 75 颗珠子，那么这 75 颗珠子中红珠比白珠多多少颗？

【思路导航】根据题意，7 颗珠子为一个周期，要求出“红珠比白珠多多少颗”，就要先求出这 75 颗珠子中共有多少个这样的周期。

$75 \div 7 = 10$(组)……5(颗)

余下的5颗应是4颗红珠、1颗白珠。因此，红珠有$10 \times 4 + 4 = 44$颗，白珠有$10 \times 2 + 1 = 21$颗，红珠比白珠多23颗。列式如下：

$75 \div 7 = 10$(组)……5(颗)

$10 \times 4 + 4 = 44$(颗)

$10 \times 2 + 1 = 21$(颗)

$44 - 21 = 23$(颗)

答：这75颗珠子中红珠比白珠多23颗。

举一反三 4

1.一些彩笔按2支红色、3支蓝色、5支绿色的顺序依次排列，如果从头到尾一共排了47支，那其中蓝笔比绿笔少多少支？

2.将一些自然数排成一列，其中任意相邻的五个数之和都等于15。已知第一个数是1，第二个数是2，第三个数是3，第四个数是4。那么前52个数字之和是多少？

3.可可和其他五个小朋友围成一个圆圈，圆圈中央放着50个乒乓球，小朋友们从可可开始按顺序依次拿乒乓球，每人每次拿4个，直到把乒乓球拿完为止(最后剩下的球不足4个就全拿)。可可总共拿了多少个乒乓球？

○月○日

王牌例题5

小红买了一本童话书，每两页文字之间有三页插图，也就是说三页插图前后各有一页文字。如果这本书有128页，而第一页是文字，这本童话书共有插图多少页？

【思路导航】已知这本童话书三页插图前后各有一页文字，也就是说这本书是按“一页文字三页插图”的规律重复排列的，把“一页文字三页插图”看做一个周期，128 页中含有 $128\div(1+3)=32$ 个周期，所以这本童话书共有插图 $3\times32=96$ 页。列式如下：

$128\div(1+3)=32$(个)

$3\times32=96$(页)

答:这本童话书共有插图 96 页。

举一反三 5

1. 校门口摆了一排花，其中每两盆菊花之间摆三盆月季花，共摆了 112 盆花。如果第一盆花是菊花，那么共摆了多少盆月季花?

2. 同学们做早操，36 个同学排成一列，每两个女生中间是两个男生，第一个是女生，这列队伍中男生有多少人?

3. 一个圆形花圃周围长 30 米，沿周围每隔 3 米插一面红旗，每两面红旗中间插两面黄旗，花圃周围共插了多少面黄旗?

第10周 数学趣题

专题简析

在日常生活中，常有一些妙趣横生、带有智力测试性质的问题，如：3个小朋友同时唱一首歌要3分钟，100个小朋友同时唱这首歌要几分钟？类似这样的问题一般不需要进行较复杂的计算，也不能用常规方法来解决，而常常需要用小朋友的灵感、技巧和机智获得答案。

对于趣味问题，首先要读懂题意，然后要经过充分地分析和思考，运用基础知识以及自己的聪明才智巧妙地解决。

○月○日

王牌例题1

一条毛毛虫由幼虫长成成虫，每天长大一倍，30天能长到20厘米。问长到5厘米要用多少天？

【思路导航】毛毛虫每天长大一倍，说明第二天的身长是第一天身长的2倍。这条毛毛虫在第30天时身长为20厘米，那么在第29天时，这条毛毛虫的身长为$20\div2=10$厘米，在第28天时，这条毛毛虫的身长为$10\div2=5$厘米。列式如下：

20÷2÷2=5(厘米)

30－1－1=28(天)

答:这条毛毛虫长到5厘米要用28天。

举一反三 1

1.一个池塘中的睡莲,每天长大一倍,经过10天可以把整个池塘全部遮住。问睡莲要遮住半个池塘需要多少天?

2.一条小青虫由幼虫长成成虫,每天长大一倍,20天能长到36厘米。问长到9厘米要用几天?

3.有一根粗细不均匀的绳子,如果从一端把它点燃,这根绳子能燃烧1个小时。但由于绳子粗细不均匀,所以不能确定燃烧到一半是在什么时候。现在想用这根绳子来确定半小时的时间,应该怎么做?

○月○日

王牌例题 2

小猫要把15条小鱼分成数量不相等的四堆,问最多的一堆中最多可放几条鱼?

【思路导航】小猫要把15条小鱼分成数量不相等的四堆,要让最多的一堆中小鱼数量尽量多,那么其余三堆小鱼的数量就要尽量少。所以,小猫可以在第一堆中放1条鱼,在第二堆中放2条鱼,在第三堆中放3条鱼,这样第四堆就可放15－(1＋2＋3)=9条鱼。列式如下:

15－(1＋2＋3)=9(条)

答:最多的一堆中最多可放9条鱼。

举一反三 2

1. 小明要把 20 颗珠子分成数量不等的五堆，问最多的一堆中最多可放几颗珠子？

2. 老师为共有 18 人的舞蹈队设计队形，要求分成人数不等的五队，问最多的一队最多可分几人？

3. 兔妈妈拿来一盘萝卜共 25 个，分给四只小兔，要使每只小兔分得个数都不同。问分得最多的一只小兔最多分得几个萝卜？

○月○日

王牌例题 3

把 100 只桃子分装在 7 个篮子里，要求每个篮子里装的桃子的只数都带有 6 字。想一想，该怎样分？

【思路导航】因为 6×6＝36 只，这样就可以在每个篮子里装 6 只桃，共装 6 个篮子，还有一个篮子里装 100－36＝64 只桃。64 这个数正好也含有数字 6，符合题目要求。列式如下：

$$100=64+6+6+6+6+6+6$$

答：6 个篮子里各装 6 只桃，还有 1 个篮子里装 64 只桃。

举一反三 3

1. 把 100 个鸡蛋分装在 6 个盒里，要求每个盒里装的鸡蛋的数目都带有 6 字。想想看，应该怎样分？

2. 有人认为 8 是个吉祥数字，他们得到的东西的数量都要含有数字 8。现有 200 块糖要分给 5 个小朋友，请你帮助设计一个符合要求的分糖方案。

3.7 只箱子分别放有 1 个、2 个、4 个、8 个、16 个、32 个、64 个苹果，现在要从这 7 只箱子里取出 87 个苹果，但每只箱子内的苹果要么全部取走，要么不取，你觉得应该怎样取呢？

○月○日

王牌例题④

舒舒和思思到书店去买书，两人都想买《动脑筋》这本书，但钱都不够，舒舒缺 2 元 8 角，思思缺 1 分钱，用两个人合起来的钱买一本仍然不够。这本书多少钱？

【思路导航】思思买这本书缺 1 分钱，两个人合起来的钱买一本书仍然不够，这说明舒舒根本没有钱，所以这本书的价钱是 2 元 8 角。

举一反三 4

1.小华和娟娟到商店买文具盒，两人看中了同一个文具盒，但钱都不够，小华缺 9 元 4 角，娟娟缺 1 分，两人的钱合起来买一个文具盒仍不够，这个文具盒多少钱？

2.李华和张洁到商店买同一种练习本，但发现钱都没带够，李华缺 6 角，张洁缺 2 分钱，但两人合起来买一本仍不够，这种本子多少钱一本？

3.王阿姨和李阿姨到商场买电视机，两人都看中了同一品牌、同一型号的电视机，但王阿姨缺 600 元，李阿姨缺 900 元，把两人带的钱合起来买这一台电视机正好。这台电视机多少钱？

○月○日

王牌例题5

大杯子能装 50 克水，小杯子能装 30 克水。你能用这两个杯子量出 70 克水吗？

【思路导航】先把一个大杯子注满水，再从这个大杯子里倒 30 克水倒进小杯，这时大杯子里还有水 50－30＝20 克，然后倒掉小杯子中的水，把大杯子中的 20 克水倒进小杯子中，最后再倒一大杯子水，这样 20＋50 正好是 70 克水。

举一反三 5

1. 一休去河边打水，他有两个桶，大桶能装 9 升水，小桶能装 4 升水。要想恰好从河中打 6 升水带回去，他应该怎么办？

2. 有两个砝码，一个重 5 克，另一个重 7 克，能用这两个砝码称出 9 克重的沙子吗？怎么称？

3. 有大、中、小三个瓶子，分别能装水 1000 毫升、700 毫升和 300 毫升。现在大瓶中装满水，希望利用三个瓶子相互间倒水，使得在中瓶和小瓶上能够标出装 100 毫升水的刻度线，但是水不能洒到地上。可以怎么办？

第11周 火柴游戏

专题简析

火柴棒是一种常见的物品，用火柴棒可以摆出各种有趣的图形、数字、运算符号等。在算式中移动火柴棒，还可以使等式成立。这一周就让我们一起来探讨用火柴棒组成的变化无穷的图形和数字。

解决这类问题，小朋友们一定要积极开动脑筋，从不同的角度进行充分的思考。

○月○日

王牌例题1

下面的等式是成立的，请你移动等式中的一根火柴，仍能得到一个正确的等式。

$$7+4-1=10$$

【思路导航】移动一根火柴，就是去掉一根火柴，然后再在其他地方添上一根火柴。由于等式原本成立，移动后仍要使等式成立，一般情况下，先不考虑运算符号的变化。因此，从数字的角度考虑，很容易就想到把得数 10 中的 1 根火柴移到减数 1 前面去，这样等式仍成立，即：

$$7+4-11=0$$

举一反三 1

1. 下式是用火柴棒摆成的算式，但这个算式是不成立的。请你移动 1 根火柴棒，使等式成立。

$$15+12-7=0$$

2. 移动一根火柴棒，使下列等式成立。

(1) $22-12=1$

(2) $14+7-4=11$

3. 下式是一个用火柴棒搭成的算式，请移动其中的一根火柴棒，使其变成另一个等式。

$$22\div 2=11$$

○月○日

王牌例题 2

在下式中移动一根火柴棒，使下面的算式成为一个等式。

$$444-4-4$$

【思路导航】题中的算式只是一个运算式子，没有等号，而题目要求移动一根火柴棒使它成为等式，所以我们必须改变数字或运算符号，产生一个等号。在算式中，444 比较大，可以去掉一根火柴棒使其变为 4＋4，把这根火柴棒放在后面一个减号的下面，成为一个等号，这样正好等式成立。即：

$$4+4-4=4$$

举一反三 2

1. 移动一根火柴棒，使算式成为等式。

(1) $44+27-17$

(2) $118-91-28$

2. 移动两根火柴棒，使算式成为等式。

$$12\times4-74-24$$

3. 在下面由火柴棒摆成的算式中，请移动一根火柴棒，使算式成为等式。

$$112\times7-72-7+2$$

○月○日

王牌例题③

移动 2 根火柴棒，使下面算式的和变为中华人民共和国成立的年份。

$$994+966=1843$$

【思路导航】中华人民共和国是 1949 年成立的，即和应该是

1949,把1843百位上“8”字的火柴棒移1根给个位上的“3”,使“8”变为“9”“3”变为“9”。这样正好是1949。根据等式左边两加数的特征,和的个位又要是9,只能是4+5=9。因此把966个位上的“6”字的火柴棒移1根给994十位上的“9”,使“6”变成“5”“9”变成“8”,这样等式成立。即:

984+965=1949

举一反三 3

1. 请你移动2根火柴棒,使下式的和为61。

23+92=57

2. 试一试,最少移动几根火柴棒,使下面的等式成立。

11+11+11+11=224

3. 用4根火柴棒可以分别表示一些加减运算符号,然后把这4根火柴棒放到下式中的合适位置去,使最终的计算结果等于100。

123456789=100

○月○日

王牌例题④

如图所示,如果1根火柴棒长度为1,那么拼1个边长为1的小等边三角形需要 3 根火柴棒，拼 2 个边长为 1 的小等边三角形需要 5 根火柴棒。你能用 12 根火柴棒拼出 6 个边长为 1 的小等边三角形吗？

【思路导航】由于拼 1 个小等边三角形需要 3 根火柴，那拼 6 个这样的小等边三角形就需要 3×6＝18 根火柴棒，而现在只有 12 根火柴棒。12÷6＝2 根，势必每个小三角形都要共用一些火柴棒。由上图示中得到启示，继续往下摆，拼 3 个小等边三角形要 7 根火柴棒，如图。这样只剩 5 根火柴棒，要想再摆出 3 个小等边三角形，必然要与原来摆的图形靠在一起，这样正好节约 2 根火柴棒，形成一个正六边形。

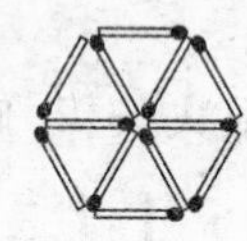

举一反三 4

1. 如下图所示，用 12 根火柴棒可以摆出 3 个正方形。如果用 11 根火柴棒刚好摆成 3 个正方形，应该怎么摆？用 10 根火柴棒呢？

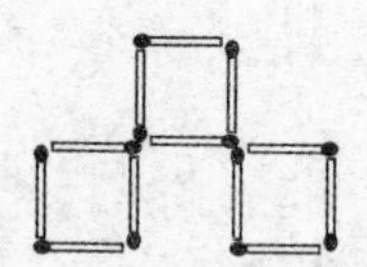

2. 如下图所示，12 根火柴棒组成 1 大 4 小 5 个正方形。现在要移动 3 根火柴棒，使它变成 3 个大小相等的正方形，应该怎样摆？

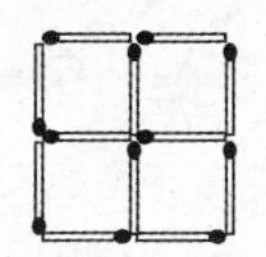

3. 用 18 根火柴棒摆成了 9 个大小相同的小三角形，每次拿 1 根火柴棒，使它减少一个小三角形，最后留下 5 个大小相同的三角形。怎么拿？

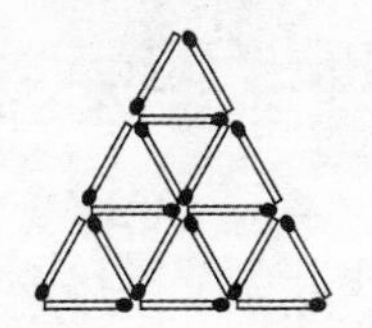

○月○日

王牌例题⑤

下图是一个由火柴棒组成的图形，最少从中拿走几根火柴棒，才能使余下的图案中没有三角形？

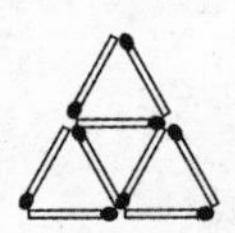

【思路导航】为了使拿走的火柴棒根数最少，首先要从中间拿，如图 ，这样就剩下两个小三角形和一个大三角形了。由于这两个小三角形没有共用的火柴棒，因此必须从两个小三角形中分别拿走 1 根火柴棒，这样大三角形也同样不存在了。如图 ，这样一共拿走了 3 根火柴。

举一反三 5

1. 下图是一个用 12 根火柴棒组成的图形，最少要拿走几根火柴棒，才能使余下的图案中不包含正方形？

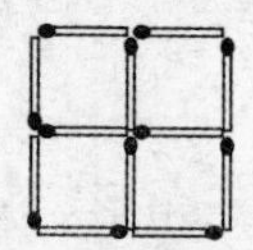

2. 下图是一个用 22 根火柴棒组成的图形，最少要去掉几根火柴棒，才能使余下的图案中不包含正方形？

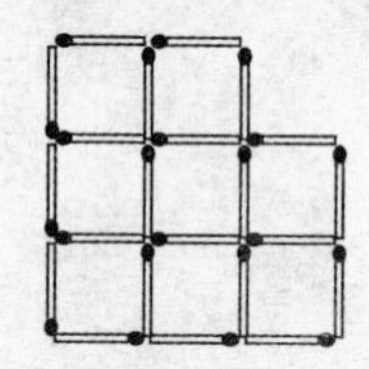

3. 下图是一个用火柴棒组成的图形，最少要从中拿走几根火柴棒，才能使余下的图案中没有三角形？

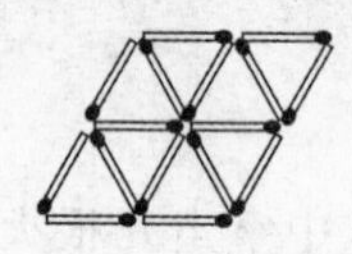

第12周 乘法速算

专题简析

我们已经学会了整数乘法的计算方法，但计算多位数乘法要一位一位地乘，运算起来比较麻烦。其实，多位数与一些特殊的数相乘，也可以用简便的方法来计算。

计算乘法时，如果一个因数是25，另一个因数考虑可拆成“4×某数”，这样可“先拆数再扩整”。两位数、三位数乘11，可采用“两头一拉，中间相加”的办法，但要注意头尾相加作积的中间数时，哪一位上满10要向前一位进1。

○月○日

王牌例题1

试着计算下列各题，你发现了什么规律？

(1)18×11　　　(2)38×11　　　(3)432×11

【思路导航】通过计算、观察可以发现，一个数与11相乘，所得的积就是将这个数的首位与末位拉开分别作为积的最高位和最低位，再依次将这个数相邻两位由个位加起，和写在十位、百位……哪一位上满十就向前一位进1。

(1)18×11,就把 8 写在个位上,8 与 1 的和 9 写在十位上,1 写在百位上,得 18×11=198

(2)38×11,把 8 写在个位上,3 与 8 的和为 11,把 1 写在十位上,同时向百位进 1,百位上 3 加上 1 为 4,得 38×11=418。

(3)432×11,把 2 写在个位上,2 与 3 的和 5 写在十位上,3 与 4 的和 7 写在百位上,千位上写 4,得 432×11=4752。

举一反三 1

很快算出下面各题的结果。

1. (1)12×11　(2)23×11　(3)45×11　(4)35×11

2. (1)47×11　(2)11×65　(3)11×96　(4)87×11

3. (1)135×11　(2)603×11　(3)329×11　(4)872×11

○月○日

王牌例题②

你能迅速算出下面各题的结果吗?

(1)24×15　(2)248×15　(3)3456×15

【思路导航】一个因数乘以 15,因为 15=10+5,那么 24×15 就可写成 24×(10+5),也就是用 24 加上它的一半再乘以 10,24+12=36,再用 36×10=360;

248×15 就用 248 加上 124 得到 372,再乘以 10 为 3720;

3456×15 就用 3456 加上 1728 得到 5184,再乘以 10 为 51840。

一个因数乘以 15,也就是用这个数加上它的一半再乘以 10。具体计算过程如下:

(1) 24×15
$=(24+12)\times10$
$=36\times10$
$=360$

(2) 248×15
$=(248+124)\times10$
$=372\times10$
$=3720$

(3) 3456×15
$=(3456+1728)\times10$
$=5184\times10$
$=51840$

举一反三 2

速算。

1.(1)32×15　(2)74×15　(3)28×15

2.(1)438×15　(2)284×15　(3)672×15

3.(1)8762×15　(2)4956×15　(3)7948×15

○月○日

王牌例题 3

下面的乘法计算有规律吗?

(1)24×25　(2)21×25

(3)25×427　(4)25×1923

【思路导航】因为 $25\times4=100$,因此一个数与 25 相乘,我们就看这个数里有几个 4,有几个 4 就有几个 100,余 1 加 25,余 2 加 50,余 3 加 75。

(1)24 中有 6 个 4,所以积是 6 个 100。

(2)21 中有 5 个 4 余 1,所以积是 5 个 100 加 25。

(3)427 中有 106 个 4 余 3，所以积是 106 个 100 加 75。

(4)1923 中有 480 个 4 余 3，所以积是 480 个 100 加 75。

具体计算过程如下：

(1)$24\times25=100\times6=600$

(2)$21\times25=100\times5+25=525$

(3)$25\times427=100\times106+75=10675$

(4)$25\times1923=100\times480+75=48075$

举一反三 3

速算。

1.(1)32×25　　(2)40×25　　(3)28×25

2.(1)81×25　　(2)33×25　　(3)25×27

3.(1)473×25　　(2)25×2562　　(3)25×377

○月○日

王牌例题④

你能迅速算出下面各题的结果吗？

(1)15×9　　(2)38×9

(3)72×99　　(4)874×99

【思路导航】(1)我们可以先计算 $15\times10=150$，这样就多加了 1 个 15，因此我们还要从 150 中减去 1 个 15，即 $150-15=135$。

(2)我们可以先计算 $38\times10=380$，这样就多加了 1 个 38，因此我们还要从 380 中减去 1 个 38，即 $380-38=342$。

(3)我们可以先计算 $72\times100=7200$，这样就多加了 1 个 72，因此我们还要从 7200 中减去 1 个 72，即 $7200-72=7128$。

(4)我们可以先计算 $874\times100=87400$,这样就多加了 1 个 874,因此要从 87400 中减去 1 个 874,即 $87400-874=86526$。

从上面几道题中可以看出,一个数与 9 相乘,就用这个数乘 10,再减这个数。一个数与 99 相乘,就用这个数乘 100,再减这个数。计算过程如下:

(1) 15×9

$=15\times10-15$

$=135$

(2) 38×9

$=38\times10-38$

$=342$

(3) 72×99

$=72\times100-72$

$=7128$

(4) 874×99

$=874\times100-874$

$=86526$

举一反三 4

计算。

1.(1)52×9　　(2)432×9　　(3)1321×9

2.(1)72×99　　(2)321×99　　(3)7231×99

3.(1)78×9　　(2)142×99

(3)1564×9　　(4)1723×99

○月○日

王牌例题⑤

试着计算下列各题,你发现了什么规律?

(1)52×58　　(2)34×36　　(3)207×203

【思路导航】通过观察我们发现这三道题两个乘数个位上的数字和是 10,个位之前的数字都相同。像这类乘法叫做"头同尾合十”乘法。计算时可以把两个乘数个位相乘的积作为积的后两位，把两个乘数十位数乘十位数加 1 的积写在两个个位数积的前面。

(1)$52\times58=\underset{5\times(5+1)}{\underline{30}}\ \underset{2\times8}{\underline{16}}=3016$

(2)$34\times36=\underset{3\times(3+1)}{\underline{12}}\ \underset{4\times6}{\underline{24}}=1224$

(3)$207\times203=\underset{20\times(20+1)}{\underline{420}}\ \underset{7\times3}{\underline{21}}=42021$

举一反三 5

速算。

1.(1)18×12　　(2)32×38　　(3)25×25

2.(1)301×309　　(2)606×604　　(3)702×708

3.(1)214×216　　(2)421×429　　(3)625×625

第13周 乘除巧算

专题简析

前面我们已给小朋友们介绍了加、减法中的巧算，大家学会了运用“凑整”的方法进行巧算，实际上这种“凑整”的方法也同样可以运用在乘、除计算中。为了更好地凑整，大家要牢记以下几个计算结果：$2\times5=10$，$4\times25=100$，$8\times125=1000$。

要提高计算能力，除了加、减、乘、除基本运算要熟练之外，还要掌握一定的运算技巧。巧算中，经常要用到一些运算定律，例如乘法交换律、乘法结合律、乘法分配律等等。善于运用运算定律，是提高巧算能力的关键。

○月○日

王牌例题❶

你有好办法算出下面各题的结果吗？

(1)$25\times17\times4$　　(2)$8\times18\times125$

(3)$8\times25\times4\times125$　　(4)$125\times2\times8\times5$

【思路导航】(1)我们知道 $25\times4=100$，因而我们要尽量把 25

与 4 放在一块计算，这样比较简便。所以我们先算 25×4＝100，再用 100 与 17 相乘即 100×17＝1700。

(2)因为 8×125＝1000，因而我们先把 8 与 125 放在一块计算 8×125＝1000，再用 1000 与 18 相乘即 1000×18＝18000。

(3)已知 25×4＝100，125×8＝1000，因此这道题我们要通过移位的方法把 25 与 4 相乘、125 与 8 相乘，然后再把 1000 与 100 相乘即 1000×100＝100000。

(4)因为 125×8＝1000、2×5＝10，因而这道题也要移位，先计算 125×8＝1000、2×5＝10，再计算 1000×10＝10000。

(1) 25×17×4
＝25×4×17
＝100×17
＝1700

(2) 8×18×125
＝8×125×18
＝1000×18
＝18000

(3) 8×25×4×125
＝(8×125)×(25×4)
＝1000×100
＝100000

(4) 125×2×8×5
＝(125×8)×(2×5)
＝1000×10
＝10000

举一反三 1

1. 计算。

(1)25×23×4　　(2)125×27×8

2. 计算。

(1)5×25×2×4　　(2)125×4×8×25

(3)2×125×8×5

3. 想一想，怎样算比较简便？

125×16

○月○日

王牌例题②

你有好办法计算下面各题吗?

(1)25×8　　　　(2)16×125

(3)16×25×25　　　　(4)125×32×25

【思路导航】(1)已知25×4=100,因为8=4×2,所以我们可以把25×8转化为25×4×2,然后先算25×4=100,再算出100×2=200。

(2)125×8=1000,16=8×2,因而我们可以把16×125转化为2×(8×125),然后算出8×125=1000,再用1000乘2得到2000。

(3)因为25×4=100,16=4×4,这样可以将2个4分别与2个25相乘,所以原式就转化为(4×25)×(4×25),再分别计算,得到结果100×100=10000。

(4)因为125×8=1000,25×4=100,32=4×8,所以可将4和8分别与25、125相乘,得到(125×8)×(25×4),再分别算出结果为1000×100=100000。

(1) 25×8
=25×4×2
=100×2
=200

(2) 16×125
=8×125×2
=1000×2
=2000

(3) 16×25×25
=(4×25)×(4×25)
=100×100
=10000

(4) 125×32×25
=(125×8)×(25×4)
=1000×100
=100000

举一反三 2

速算。

1.(1)25×12　　(2)125×32　　(3)48×125

2.(1)125×16×5　　(2)25×8×5

3.(1)125×64×25　　(2)32×25×25

○月○日

王牌例题 3

你能很快计算下面各题吗？

(1)45×101　　(2)37×201

【思路导航】(1)45×101 就是求 101 个 45 是多少，我们可以先计算出 100 个 45 是多少，再加上 1 个 45 就行了。

(2)37×201 就是求 201 个 37 是多少，我们可以先计算出 200 个 37 是多少，再加上 1 个 37 就行了。

(1) 45×101
＝45×100＋45×1
＝4500＋45
＝4545

(2) 37×201
＝37×200＋37×1
＝7400＋37
＝7437

举一反三 3

计算。

1.(1)72×101　　(2)38×101

2.(1)21×201　　(2)49×301

3.(1)58×102　　(2)63×403

○月○日

王牌例题④

简便运算。

(1)130÷5　　(2)4200÷25　　(3)34000÷125

【思路导航】这里可以运用商不变的性质。

(1)130÷5,可将130和5同时乘2,使除数变为10,然后再用260÷10,结果为26。

(2)4200÷25,可以将4200和25同时乘4,使除数变为100,然后再用16800÷100,结果为168。

(3)34000÷125,可以将34000和125同时乘8,使除数变为1000,然后再用272000÷1000,结果为272。

(1) 130÷5
=(130×2)÷(5×2)
=26

(2) 4200÷25
=(4200×4)÷(25×4)
=168

(3) 34000÷125
=(34000×8)÷(125×8)
=272

举一反三 4

1.你能迅速算出结果吗?

(1)170÷5　　(2)3270÷5　　(3)2340÷5

2.计算。

(1)7200÷25　　(2)3600÷25　　(3)5600÷25

3.你能很快计算下面各题吗?

(1)32000÷125　　(2)78000÷125　　(3)43000÷125

○月○日

王牌例题⑤

计算。

(1)$49\times55+55\times51$　　　(2)$79\times85+35\times79-20\times79$

【思路导航】乘法分配律可以推广为 $a\times c\pm b\times c=(a\pm b)\times c$，关键是找准那个相同的因数，(1)式中相同因数为 55，(2)式中相同因数为 79。

(1) $49\times55+55\times51$
$=55\times(49+51)$
$=55\times100$
$=5500$

(2) $79\times85+35\times79-20\times79$
$=79\times(85+35-20)$
$=79\times100$
$=7900$

举一反三 5

1. (1)$26\times49+49\times74$
   (2)$82\times173-73\times82$
2. (1)$68\times99+68$
   (2)$614\times14+88\times614-614\times2$
3. (1)$1750\div14-350\div14$
   (2)$7175\div35-700\div35+525\div35$

第14周 解决问题(一)

专题简析

应用题是小学数学中非常重要的一部分内容,它需要小朋友用学到的数学知识来解决生产、生活中的一些实际问题。学好应用题的关键在于认真分析题意,掌握数量关系,找到解决问题的突破口。

在分析应用题的数量关系时,我们可以从条件出发,逐步推出所求的问题;也可以从问题出发,找到必需的条件。在解答问题时,我们可以根据题目中的数量关系,灵活运用上述这两种方法。有时借助线段图来分析应用题的数量关系,解答就更容易了。

○月○日

王牌例题1

学校里有排球 24 个,足球的个数比排球的 2 倍少 5 个。学校有排球、足球共多少个?

【思路导航】根据题意画出线段图:

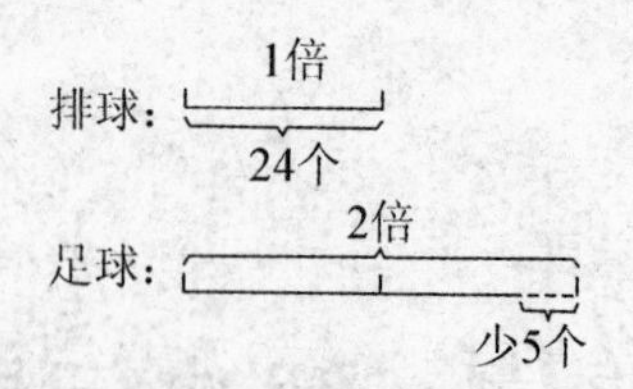

从图上可以看出，把 24 个排球看做 1 倍数，足球的个数比这样的 2 倍少 5 个，用 $24\times2-5=43$ 可以求出足球的个数，再用 $43+24=67$ 可以求出两种球的总个数。列式如下：

$24\times2-5=43$(个)

$43+24=67$(个)

答：学校有排球、足球共 67 个。

想一想，这道题还有其他解法吗？

举一反三 1

1. 小红有 25 块巧克力糖，小军有巧克力糖的块数比小红的 3 倍少 16 块，小军比小红多多少块巧克力糖？

2. 动物园里有 12 只鸽子，画眉鸟的只数比鸽子只数的 4 倍还多 7 只。动物园里的鸽子、画眉鸟一共多少只？

3. 少先队员种柳树 30 棵，种的杨树的棵数比柳树棵数的 3 倍多 14 棵。少先队员种的杨树、柳树共多少棵？

○月○日

王牌例题 2

人民广场花圃中有 180 盆郁金香，郁金香的盆数比月季花盆数的 3 倍少 15 盆。月季花有多少盆？

【思路导航】依题意画出线段图：

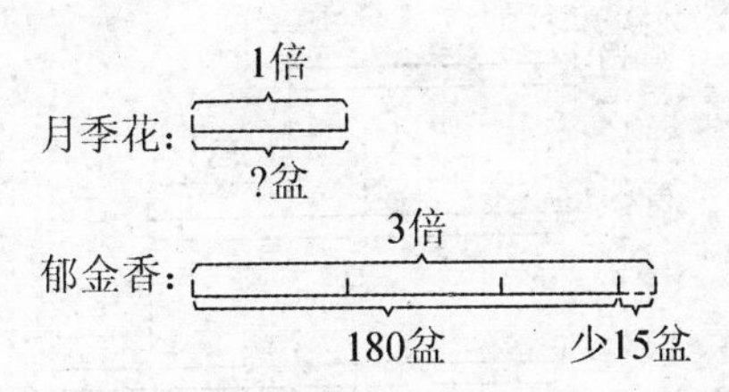

从图上可以看出,把月季花的盆数看做1倍数,郁金香的盆数是这样的3倍少15盆。如果郁金香再增加15盆,就正好是月季花盆数的3倍。因此用(180＋15)÷3＝65盆就可求出月季花的盆数。列式如下:

(180＋15)÷3＝65(盆)

答:月季花有65盆。

举一反三 2

1.小明的父亲每月工资1000元,比小明母亲每月工资的2倍少200元。小明母亲每月工资多少元?

2.饲养场养母鸭400只,比公鸭只数的7倍还多36只。饲养场养公鸭多少只?

3.水果店卖出9筐水果,平均每筐重45千克。卖出水果的质量比剩下的3倍还多27千克。还剩多少千克水果?

○月○日

王牌例题 3

小林家养了一些鸡,黄鸡比黑鸡多13只,白鸡比黄鸡多12只,白鸡的只数正好是黑鸡的2倍。白鸡、黄鸡、黑鸡各多少只?

【思路导航】依题意画出线段图:

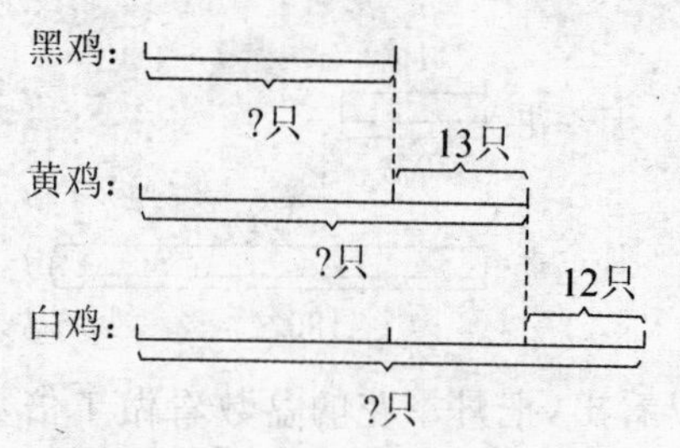

根据“黄鸡比黑鸡多13只，白鸡比黄鸡多12只”，从线段图上我们可以看出白鸡比黑鸡多13＋12＝25只，这相当于黑鸡的2－1＝1倍，这样也就求出黑鸡的只数为25÷1＝25只，黄鸡的只数是25＋13＝38只，白鸡的只数为25×2＝50只。列式如下：

(13＋12)÷(2－1)＝25(只)

25＋13＝38(只)

25×2＝50(只)

答：白鸡有50只，黄鸡有38只，黑鸡有25只。

举一反三3

1. 商店里有红、白、蓝三种颜色的围巾，其中红围巾比白围巾多12条，蓝围巾比红围巾多20条，蓝围巾的条数正好是白围巾的5倍。红围巾、白围巾、蓝围巾各多少条？

2. 有甲、乙、丙三筐苹果，甲筐比乙筐多12个苹果，丙筐比甲筐多15个苹果，丙筐苹果的个数是乙筐的4倍。甲、乙、丙筐各有几个苹果？

3. 男、女学生参加小组交流会，如果少去1名女生，男、女生人数相等；如果少去1名男生，女生人数是男生的2倍。参加交流会的男、女生各几人？

○月○日

王牌例题④

用一批纸装订同样大小的练习本，如果每本 16 页，可装订 400 本。如果每本 20 页，可以少装订多少本？

【思路导航】根据“如果每本 16 页，可装订 400 本”，可得这批纸的总页数 16×400＝6400 页，再用总页数 6400÷20＝320 本求到如果每本 20 页可以装订的本数，400－320＝80 本则表示少装订的本数。列式如下：

400－16×400÷20

＝400－6400÷20

＝400－320

＝80(本)

答：可以少装订 80 本。

举一反三 4

1. 水果店要将一些水果装箱，如果每箱 10 千克，可装 30 箱；如果每箱 15 千克，可少装多少箱？

2. 服装厂用一些布料加工窗帘，如果把每幅窗帘做成 3 米长，可做 140 幅；如果每幅窗帘做成 2 米长，则可多做多少幅？

3. 用一批纸装订同样大小的练习本，如果每本 16 页，可装订 400 本；如果每本多装订 9 页，可少装订多少本？

○月○日

王牌例题⑤

李师傅原计划 6 小时加工零件 480 个，实际 2 小时加工了 192

个。照这样的效率，可以提前几小时完成？

【思路导航】根据“实际 2 小时加工了 192 个”，可以求出李师傅的实际工作效率为 192÷2=96 个/时，再用要加工的零件总数除以实际工作效率，即 480÷96=5 时，求到实际完成的时间。6－5=1 时，则表示提前完成的时间。列式如下：

6－480÷(192÷2)

=6－480÷96

=6－5

=1(时)

答：可以提前 1 小时完成。

举一反三 5

1. 王奶奶计划 10 小时做纸盒 400 个，实际 3 小时已做了 150 个纸盒。照这样的效率，可以提前几小时完成？

2. 暑假中，小宁计划 30 天共要写大字 600 个，小宁 12 天已写了 360 个大字。照这样的速度，小宁可以提前几天写完？

3. 自行车制造厂四月份(30 天)共生产自行车 3600 辆，五月份改进技术后 9 天已生产自行车 1350 辆。照这样的效率，可以提前几天完成四月份的任务量？

第15周 解决问题(二)

专题简析

一般应用题的条件和问题变换的形式多，数量关系也比较复杂，但只要善于分析，善于思考，善于抓住关键，不管什么问题都能迎刃而解。

解答一般应用题的关键是要掌握应用题的数量关系，了解应用题中条件和条件、条件和问题之间的联系，找出解题方法，灵活解题。

〇月〇日

王牌例题1

一列火车早上5点从甲地开往乙地，按原计划每小时行驶120千米，下午3点到达乙地，但实际到达乙地的时间是下午5点整，晚点2小时。问火车实际每小时行驶多少千米？

【思路导航】由“这列火车早上5点出发，计划下午3点到达”可知，这列火车原计划行驶12＋3－5＝10小时，用原计划每小时行驶120千米×计划行驶的10小时，便可得到甲地到乙地的距离为120×10＝1200千米。火车晚点2小时，说明火车实际行驶了

10+2=12 小时，用 1200÷12=100 千米/时就可得到火车实际每小时行的千米数。列式如下：

12+3−5=10(时)

120×10=1200(千米)

10+2=12(时)

1200÷12=100(千米/时)

答：火车实际每小时行驶 100 千米。

举一反三 1

1. 一辆汽车早上 8 点从甲地开往乙地，原计划每小时行驶 60 千米，下午 4 点到达乙地，但实际晚点 2 小时到达。这辆汽车实际每小时行驶多少千米？

2. 一列火车早上 6 点从甲城开往乙城，计划每小时行驶 100 千米，下午 6 点到达乙城。但实际到达时间是下午 4 点，提前了 2 小时。问火车实际每小时行驶多少千米？

3. 王叔叔驾驶一辆摩托车，上午 11 点从城东开往城西，计划每小时行驶 60 千米，下午 2 点到达城西。实际到达时间是下午 3 点，晚到 1 小时。问实际每小时比计划少行多少千米？

○月○日

王牌例题 2

小猴上山摘桃子，它把摘到的桃子平均分成了 5 堆，把其中的 4 堆送给它的好朋友，给自己留了 1 堆。后来它又把给自己留的这 1 堆平均分成 4 堆，把其中的 3 堆送给了小山羊，1 堆留给自己吃，自己吃的这 1 堆有 6 个桃子，小猴一共摘了多少个桃子？

【思路导航】小猴将摘来的桃子平均分成 5 堆，给自己只留下了1堆，然后又将给自己留下的这1堆平均分成4份，自己只留了其中的1份(6个)。由此可求出小猴第一次留下的1堆为6×4=24个，这堆桃子共被分为了这样的5堆，用24×5即求出小猴一共摘的桃子数。列式如下：

6×4×5

=24×5

=120(个)

答:小猴一共摘了120个桃子。

举一反三2

1.妈妈买来一堆彩色笔，她把这些笔平均分成3份，把其中2份送给了小明和小红，给自己留下1份。后来她又把给自己留下的这1份平均分成3份，把其中的2份送给幼儿园，给自己只留下1份，数了数共7支。妈妈一共买来多少支彩色笔?

2.学校买来一些练习本，要平均分给9个班，每班有32个小朋友，每个小朋友分得了4本。学校一共买来了多少本练习本?

3.一项工程4人做需做4个星期又4天才能完成，中间无休息日。那么1个人单独做这项工程需要多少天?

○月○日

王牌例题③

用一个杯子向一个空瓶里倒牛奶，如果向空瓶里倒进去2杯牛奶，则连瓶共重450克；如果向空瓶里倒进去5杯牛奶，则连瓶共重750克。一杯牛奶和一个空瓶各重多少克?

【思路导航】根据题目的条件，我们可以写出两个关系式：

2杯牛奶质量+1个空瓶质量=450克　　①

5 杯牛奶质量＋1 个空瓶质量＝750 克　　②

比较①②两式，可发现用②－①可消去空瓶质量，并可得到 5－2＝3 瓶牛奶质量是 750－450＝300 克，那么 1 杯牛奶重为 300÷3＝100 克，然后可求出空瓶的质量是 450－100×2＝250 克。列式如下：

(750－450)÷(5－2)＝100(克)

450－100×2＝250(克)

答：一杯牛奶重 100 克，一个空瓶重 250 克。

举一反三 3

1. 有 12 筐苹果，它们质量相等，我们要把它们装入一个大箱子里。如果给箱子里装进两筐苹果，则连箱共重 220 千克；如果给箱子里装进五筐苹果，则连箱共重 520 千克。一筐苹果和一个大箱子各重多少千克？

2. 用一个木桶向一个水缸中倒水，如果给水缸里倒进 4 桶水，则连缸共重 240 千克；如果给水缸里倒进 7 桶水，则连缸共重 390 千克。一桶水和一个水缸各重多少千克？

3. 有一个水瓶，用几个相同的杯子往瓶里注水。如果给瓶里注满 3 杯水，则连瓶重 350 克；如果给瓶里注满 6 杯水，则连瓶重 650 克。一杯水重多少克？

○月○日

王牌例题④

有红、黄、绿三种颜色的珠子 120 粒。如果把红色珠子分放在 9 个盒子里，把黄色珠子分放在 6 个盒子里，把绿色珠子分放在 5 个盒子里，那么每个盒子里的珠子粒数相等。三种颜色的珠子各多少粒？

【思路导航】把 120 粒珠子分放到盒子里以后，每个盒子里的珠子粒数相等，那么就可以用 120÷(6＋9＋5)＝6 粒求到每个盒子里珠子的粒数，然后再求三种颜色的珠子各几粒。列式如下：

120÷(6＋9＋5)＝6(粒)

红色珠子：6×9＝54(粒)

黄色珠子：6×6＝36(粒)

绿色珠子：6×5＝30(粒)

答：红色、黄色、绿色珠子分别是 54 粒、36 粒、30 粒。

举一反三 4

1. 有苹果、梨、橘子共 105 个。如果把苹果分放到 4 个盘中，把梨分放到 5 个盘子中，把橘子分放到 6 个盘子中，那么每个盘子中的水果个数相等。三种水果各多少个？

2. 有白兔、灰兔、黑兔共 250 只。如果把白兔分放到 5 个笼中，把灰兔分放到 11 个笼中，把黑兔分放到 9 个笼中，这样每个笼中的兔子的只数相等。三种兔子各多少只？

3. 有科技书、文艺书和故事书 360 本。若把科技书分放到 2 个书架上，把文艺书分放到 3 个书架上，把故事书分放到 4 个书架上，则每个书架上的本数相等。三种书各多少本？

○月○日

王牌例题 5

在 6 个筐里放着同样多的鸡蛋。如果从每个筐里拿出 50 个鸡蛋，则 6 个筐里剩下的鸡蛋个数的总和等于原来 2 个筐里鸡蛋个数的总和。原来每个筐里有鸡蛋多少个？

【思路导航】根据“6个筐里剩下的鸡蛋个数的总和等于原来2个筐里鸡蛋个数的总和”，说明6个筐里取出的鸡蛋个数的总和等于原来(6－2)＝4个筐里鸡蛋的总和，用取出的50×6＝300个鸡蛋除以4就可求出原来每个筐里鸡蛋的个数。列式如下：

$$50\times6\div(6-2)=75(个)$$

答：原来每个筐里有鸡蛋75个。

举一反三 5

1. 在6个纸箱中放着同样多的苹果。如果从每个纸箱里拿出50个苹果，则6个纸箱里剩下苹果个数的总和等于原来2个纸箱里的苹果个数的和。原来每个纸箱里有多少个苹果？

2. 某商店有5箱皮球。如果从每箱里取出15个，那么5个箱里剩下皮球的个数正好等于原来2箱皮球的个数。原来每箱装了多少个皮球？

3. 有3桶质量相同的水。如果从每桶中倒出4千克水，那么3个水桶里剩下的水的质量正好等于原来1桶水的质量。原来每桶装多少千克水？

第16周 植树问题

专题简析

1. 植树问题可以分为以下3种情形：

(1)如果植树线路的两端都要植树，那么植树的棵数应比要分的段数多1，即：棵数＝段数＋1。

(2)如果植树线路的一端植树，另一端不植树，那么植树的棵数应与要分的段数相等，即：棵数＝段数。

(3)如果植树线路的两端都不植树，那么植树的棵数应比要分的段数少1，即：棵数＝段数－1。

2. 在封闭线路上植树，棵数与段数相等，即：棵数＝段数。

○月○日

王牌例题1

小朋友们植树，先植1棵树，以后每隔3米植1棵树。现已经植了9棵树，问第1棵树和第9棵树相距多少米？

【思路导航】要得出正确的结果，我们可以画出如下的示意图：

0　3米　6米　9米　12米　15米　18米　21米　24米

1棵　2棵　3棵　4棵　5棵　6棵　7棵　8棵　9棵

根据“已经植了9棵树”，我们从图中可以看出，第1棵树和第9棵树之间的间隔是9－1＝8个，每个间隔是3米，所以第1棵和第9棵相距3×8＝24米。列式如下：

$$3\times(9-1)=24(\text{米})$$

答：第1棵和第9棵相距24米。

举一反三 1

1. 在路的一侧插彩旗，每隔5米插一面彩旗，从起点到终点共插了10面彩旗。这条路有多长？

2. 在学校的走廊两边，每隔4米放一盆菊花，从起点到终点一共放了18盆菊花，这条走廊长多少米？

3. 在一条20米长的绳子上挂气球，从一端起每隔5米挂1个气球，4个气球够挂吗？

○月○日

王牌例题②

在36米长的走廊一侧摆花盆，两端都摆，平均每隔2米摆一个花盆，一共需要摆多少盆花？

【思路导航】根据题意，摆好花盆后应该有36÷2＝18个间隔，因为两端都摆，所以花的盆数比间隔数多1，也就是需要摆18＋1＝19盆花。列式如下：

$$36\div2+1=19(\text{盆})$$

答：一共需要摆19盆花。

举一反三 2

1. 在马路的一侧竖电线杆，平均每隔5米竖一根，如果两端都竖,100 米长的马路一共需要竖多少根电线杆?

2.在长 50 米的跑道一侧插彩旗,如果平均 2 米插一面,两端都插,一共需要多少面彩旗?

3.在跑道的一边植树,如果每隔 3 米植一棵树,两端都植,75 米长的跑道一边一共需要植多少棵树?

○月○日

王牌例题③

在一条长 40 米的大路两侧栽树,从起点到终点一共栽了 22 棵树,已知相邻两棵树之间的距离都相等。问相邻两棵树之间的距离是多少米?

【思路导航】根据“在路的两侧共栽了 22 棵树”这个条件,我们可先求出一侧栽了 22÷2=11 棵树,那么从第 1 棵树到第 11 棵树之间的间隔是 11-1=10 个。40 米长的大路平均分成 10 段,每段是 40÷10=4 米。列式如下:

$$40\div(22\div2-1)=4(\text{米})$$

答:相邻两棵树之间的距离是 4 米。

举一反三 3

1.在一条 32 米长的公路一侧插彩旗,从起点到终点共插了 5 面彩旗,相邻两面彩旗之间距离相等。相邻两面彩旗之间相距多少米?

2.在公园一条长 25 米的路的两侧放椅子,从起点到终点共放了 12 把椅子,相邻两把椅子间距离相等。相邻两把椅子之间相距多少米?

3.有一根木料,要锯成 8 段,每锯开 1 段需要 2 分钟,全部锯完需要多少分钟？

○月○日

王牌例题④

在一条 50 米长的马路一边植树，每隔 5 米植一棵，如果两端都不植，一共需要植多少棵树？

【思路导航】根据题意，植树的间隔应该有 $50\div5=10$ 个，但是因为两端都不植，所以植树的棵数是 $10-1=9$ 棵。列式如下：

$$50\div5-1=9(棵)$$

答：一共需要植 9 棵树。

举一反三 4

1. 在 60 米长的围墙上安装宣传栏，每隔 2 米安装一个，如果两端不安装，一共需要安装多少个？

2. 在一条 70 分米长的绳子上打结，每隔 2 分米打一个结，如果两端都不打，一共需要打多少个结？

3. 在一条 5 米长的晾衣绳上晾衣服，每隔 25 厘米挂一个衣架，如果两端都不挂，一共可以晾多少件衣服（一个衣架挂一件衣服）？

○月○日

王牌例题⑤

在周长为 50 米的圆形池塘边栽树，每隔 5 米栽一棵，一共可以栽多少棵？

【思路导航】在封闭的圆形池塘周围栽树，间隔数＝棵树，所以一共可以栽 50÷5＝10 棵树。列式如下：

$$50 \div 5 = 10(\text{棵})$$

答：一共可以栽 10 棵。

举一反三 5

1. 在周长 200 米的圆形池塘四周安装彩灯，每隔 10 米安装一盏，一共需要安装多少盏？

2. 在边长 40 米的正方形鱼池四周安装报警器，每隔 20 米安装一个，一共需要安装多少个？

3. 在三角形花坛周围插彩旗，每隔 3 米插一面，如果三角形花坛的每边长 24 米，一共需要插多少面彩旗？

第17周 数字趣谈

专题简析

在日常生活中,0,1,2,3,4,5,6,7,8,9是我们最常见、最熟悉的数,由这些数字构成的自然数列中有很多有趣的计数问题,动动脑筋,你就会找到答案。本周的习题,大都是关于自然数列方面的计数问题,解题的方法一般是采用尝试探索法和分类统计法,相信你们能很好地掌握它。

○月○日

王牌例题①

在10和40之间有多少个数是3的倍数?

【思路导航】由尝试法可求出答案:

$3\times4=12$　$3\times5=15$　$3\times6=18$　$3\times7=21$　$3\times8=24$

$3\times9=27$　$3\times10=30$　$3\times11=33$　$3\times12=36$　$3\times13=39$

答:满足条件的数是12,15,18,21,24,27,30,33,36,39共10个。

举一反三 1

1.在 20 和 50 之间有多少个数是 6 的倍数?

2.在 15 和 70 之间有多少个数是 8 的倍数?

3.两个整数之积为 144,差为 10,求这两个数。

○月○日

王牌例题❷

在 10 到 1000 之间有多少个数是 3 的倍数?

【思路导航】求 10 和 1000 之间有多少个数是 3 的倍数,用一一列举的方法显得很麻烦。可以这样思考:

10÷3=3……1　　说明 10 以内有 3 个数是 3 的倍数;

1000÷3=333……1　说明 1000 以内有 333 个数是 3 的倍数;

333－3=330　说明 10～1000 之间有 330 个数是 3 的倍数。

答:在 10 和 1000 之间有 330 个数是 3 的倍数。

举一反三 2

1.在 1 到 1000 之间有多少个数是 4 的倍数?

2.在 10 到 1000 之间有多少个数是 7 的倍数?

3.在 100 到 1000 之间有多少个数是 3 的倍数?

○月○日

王牌例题❸

在所有的两位数中,十位数字比个位数字大的两位数有多少个？

【思路导航】两位数的十位数字有1,2,3……8,9九种。

两位数中，十位数字比个位数字大的，可以分成九种情况考虑：

(1)十位数字是1时，有1个，即10

(2)十位数字是2时，有2个，即20,21

(3)十位数字是3时，有3个，即30,31,32

……

(9)十位数字是9时，有9个，即90,91,92……98

所以符合条件的两位数有1＋2＋3＋…＋8＋9＝45(个)

举一反三 3

1.在所有的四位数中，各位数字之和是35的数共有多少个？

2.从1985到4891的整数中，十位数字与个位数字相同的数有多少个？

3.1到1000这1000个自然数中，完全不含有1的数有多少个？

○月○日

王牌例题④

一本连环画共100页，排页码时一个铅字只能排一位数字，请你算一下，排这本书的页码共要用多少个铅字？

【思路导航】这道题可以分类计算：

从第1页到第9页，共9页，每页用1个铅字，共用1×9＝9个铅字；

从第10页到第99页，共90页，每页用2个铅字，共用$2\times90=180$个铅字；第100页，只有1页共用3个铅字。具体列式如下：

$1\times9=9$(个)

$2\times90=180$(个)

$1\times3=3$(个)

$9+180+3=192$(个)

答：排这本书的页码共用192个铅字。

举一反三 4

1. 一本书共200页，排版时一个铅字只能排一位数字，那么排这本书的页码共用了多少个铅字？

2.《宇宙历险记》这本书共214页，排版时一个铅字只能排一位数字，排这本书的页码共用多少个铅字？

3. 排《儿童漫画》的页码共用了51个铅字，一个铅字只能排一位数字，这本书共多少页？

○月○日

王牌例题⑤

已知编一本《动物乐园》共用了216个数码，书中每隔3页文字就是1页插图，每页文字下方有相应的页码，而每页插图下没有页码。问这本书一共有多少页？

【思路导航】我们先求出从第1页到第99页文字共用数码的个数：$1\times9+2\times90=189$个；再求出99页后还有几页文字：$(216-189)\div3=9$页；即这本书共有$99+9=108$页文字；又因为每隔3页文字就是1页插图，那么就有$108\div3=36$页插图；最后求出这本书一共有 108＋36＝144 页。列式如下：

(216－1×9－2×90)÷3＝9(页)

99＋9＝108(页)

108÷3＝36(页)

108＋36＝144(页)

答:这本书一共有 144 页。

举一反三 5

1. 已知编一本书共用了 189 个数码,书中每隔 3 页文字就有 1 页插图,每页文字下有页码。每页插图下无页码。这本书一共多少页?

2. 编《动画大王》共用了 189 个数码,书中每隔 3 页插图就有 1 页文字说明,每页文字有页码,每页插图无页码。这本《动画大王》共多少页?

3. 某本书共 131 页,在这本书的页码中,数字 1 共出现了多少次?

第18周 重叠问题

专题简析

“三(1)班准备给参加班级绘画比赛的16位同学和参加朗读比赛的12位同学每人发一份纪念品，当中队长玲玲将28份纪念品发下去时，却多出5份，这是怎么回事呢？对了，因为有5位同学既参加了绘画比赛，又参加了朗读比赛，所以奖品就多出了5份。”我们将这样的问题称为重叠问题。

解答重叠问题要用到数学中的一个重要原理——包含与排除原理，即当两个计数部分有重复包含时，为了不重复计数，应从它们的和中排除重复部分。

解答重叠问题的应用题时，必须从条件入手进行认真的分析，有时还要画出示意图，借助图形进行思考，找出哪些是重复的，重复了几次？明确求的是哪一部分，从而找出解题的方法。

○月○日

王牌例题1

同学们排队做操，每行人数同样多。小明的位置从左数起是第4个，从右数是第3个，从前数是第5个，从后数是第6个。做操的同学共有多少个？

【思路导航】根据题意，画出右下图：

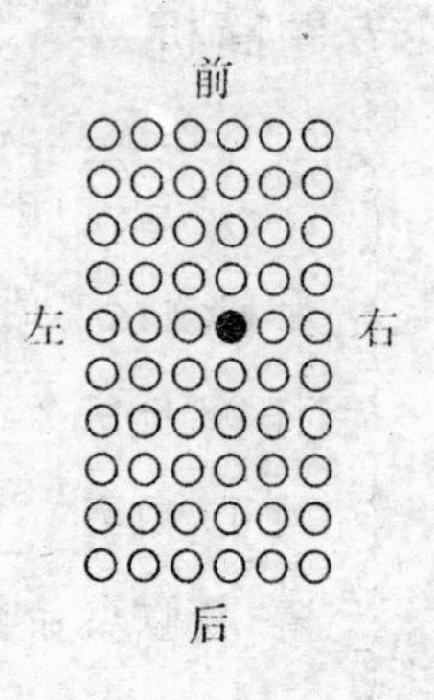

由图可看出：小明的位置从左数第4个，从右数第3个，说明横行有$4+3-1=6$个人；从前数第5个，从后数第6个，即竖行有$5+6-1=10$个人。所以做操的同学共有$6\times10=60$个人。列式如下：

$4+3-1=6$(个)

$5+6-1=10$(个)

$6\times10=60$(个)

答：做操的同学共有60个。

举一反三1

1.同学们排队跳舞，每行、每列人数同样多。小红的位置无论从前数、从后数、从左数还是从右数都是第3个。共有多少个同学跳舞？

2.为庆祝六一，同学们排成每行人数相同的鲜花队，小华的位置从左数是第2个，从右数是第4个，从前数是第3个，从后数是第5个。鲜花队共多少人？

3.三(4)班排成每行人数相同的队伍参加学校运动会。梅梅的位置从前数是第6个，从后数是第5个，从左数、从右数都是第3个。三(4)班共有学生多少人？

○月○日

王牌例题②

把两块一样长的木板如下图这样钉在一起，使其成了一块木板。如果这块钉在一起的木板长120厘米，中间重叠部分是16厘米。这两块木板各长多少厘米？

【思路导航】把等长的两块木板的一端钉起来，钉在一起的长度就是重叠部分，重叠的部分是16厘米，所以这两块木板的总长度是120＋16＝136厘米，每块木板的长度是136÷2＝68厘米。列式如下：

$$(120+16)\div 2=68(\text{厘米})$$

答：这两块木板各长68厘米。

举一反三 2

1.把两段一样长的纸条黏合在一起，使其成了一段更长的纸条。这段更长的纸条长30厘米，中间重叠部分是6厘米。原来两段纸条各长多少厘米？

2.把两块一样长的木板钉在一起，钉成一块长35厘米的木板，中间重叠部分长11厘米。这两块木板各长多少厘米？

3.学校进行卫生大扫除，由于鸡毛掸子不够长，为了能掸掉日光灯上的灰尘，小明想了个好主意，将鸡毛掸子和木棒绑在一起，使其从头到尾共长180厘米，其中鸡毛掸子长85厘米，接头处长20厘米。问木棒有多长？

○月○日

王牌例题③

一次数学测试，全班 36 人中做对第一道题的有 21 人，做对第二道题的有 18 人，每人至少做对一道。问两道题都做对的有几人？

【思路导航】根据题意，画出右下图：

图中间重叠部分表示两道题都做对的人数，把做对第一道题和做对第二道题的人数加起来得 21＋18＝39 人，这 39 人比全班总人数 36 多出了 39－36＝3 人，这多出的 3 人既在做对第一题的人数中算过，也在做对第二道题的人数中算过，即表示两道题都做对的人数。列式如下：

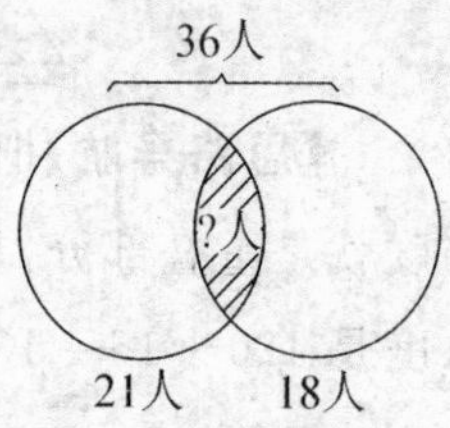

$$21+18-36=3(\text{人})$$

答：两道题都做对的有 3 人。

举一反三 3

1. 三(1)班有学生 55 人，每人至少参加赛跑和跳绳比赛中的一种。已知参加赛跑的有 36 人，参加跳绳的有 38 人。问两项比赛都参加的有几人？

2. 两块木板各长 75 厘米，如下图所示钉成一块长 130 厘米的木板。中间重合部分是多少厘米？

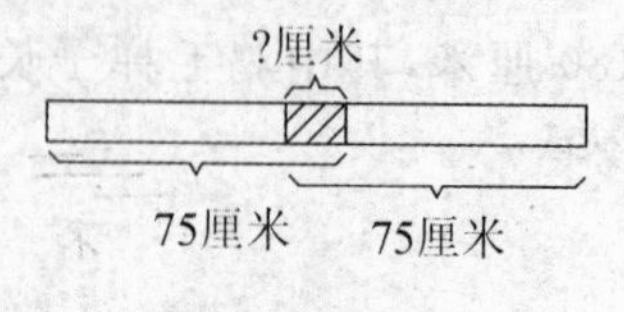

3. 三(5)班有 42 名同学，会下象棋的有 21 名同学，会下围棋的有 17 名，两种棋都不会下的有 10 名。两种棋都会下的有多少名？

〇月〇日

王牌例题④

三(1)班订《数学报》的有 32 人，订《阅读报》的有 30 人，两种报纸都订的有 10 人，全班每人至少订一种报纸。三(1)班有学生多少人？

【思路导航】根据题意，画出下图：

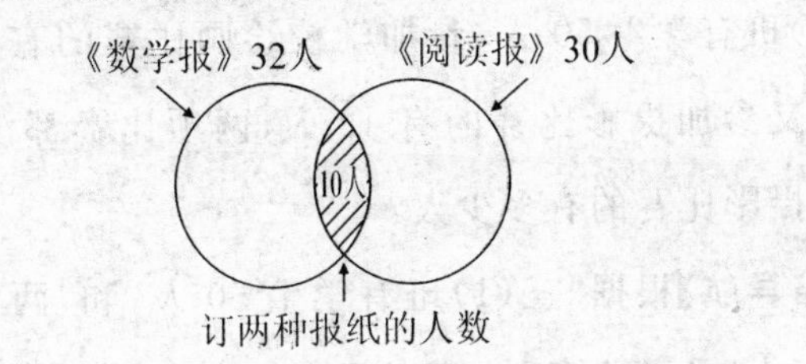

从上图可以看出，中间的重叠部分表示两种报纸都订的 10 人，这 10 人既被包括在订《数学报》的 32 人内，又被包括在订《阅读报》的 30 人内，重复算了一次，所以要算出全班人数，必须从 32＋30＝62 人中去掉被重复算过的 10 人，所以全班人数应是 62－10＝52 人。列式如下：

$$32+30-10=52(\text{人})$$

答：三(1)班有学生 52 人。

举一反三 4

1. 三(4)班做完语文作业的有 37 人，做完数学作业的有 42 人，两种作业都完成的有 31 人，每人至少完成一种作业。三(4)班共有学生多少人？

2. 两块木板各长 90 厘米，如下图这样钉成一块木板，中间重合部分是 15 厘米。这块钉在一起的木板总长多少厘米？

3. 三年级有 107 个小朋友去春游，带矿泉水的有 78 人，带水果的有 77 人，每人至少带一种。三年级既带矿泉水又带水果的小朋友有多少人？

○月○日

王牌例题⑤

三(1)班有学生 50 人，参加学校绘画比赛的有 20 人，既参加绘画比赛又参加摄影比赛的有 12 人，两项比赛都没参加的有 10 人。参加摄影比赛的有多少人？

【思路导航】根据“三(1)班有学生 50 人”和“两项比赛都没参加的有 10 人”这两个条件，可以得出至少参加一项比赛的有 50－10＝40 人。画出下图：

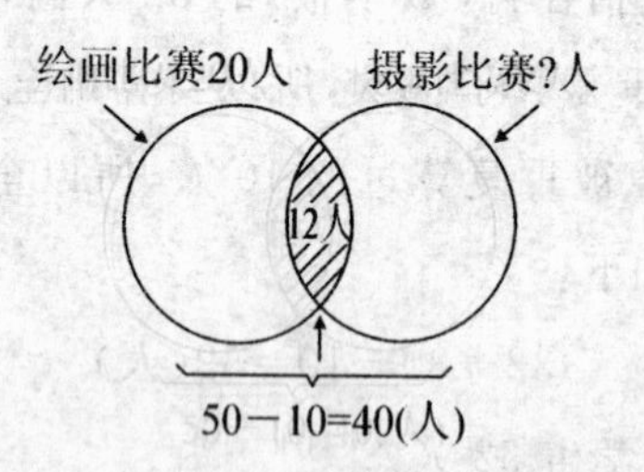

从上图可以看出，参加摄影比赛的人数包括两个部分：第一部分是没有参加绘画比赛只参加摄影比赛的人数，第二部分是两项比赛都参加的 12 人。如果从 40 人里面去掉参加绘画比赛的 20 人，得到 40－20＝20 人，就得到只参加摄影比赛的人数是 20 人，再根据两项比赛都参加的有 12 人，用 20＋12＝32 人就算出了参

加摄影比赛的人数。列式如下：

$$50-10-20+12=32(\text{人})$$

答：参加摄影比赛的有 32 人。

想一想，还有没有其他的解法？

举一反三 5

1. 三(2)班有学生 46 人，做对第一道思考题的有 29 人，两道思考题都做对的有 5 人，两道题都做错的有 5 人。做对第二道思考题的有多少人？

2. 三(2)班有学生 46 人，做对第一道思考题的有 29 人，做对第二道思考题的有 17 人，两道题都做错的有 5 人。两道题都做对的有几人？

3. 三(5)班 43 人上美术课，有 2 人没带画笔，带油画棒的有 25 人，带水彩笔的有 23 人，两种笔都带的有多少人？

第19周 简单枚举

专题简析

枚举法是一种常见的分析问题、解决问题的方法。一般要根据问题的要求，一一列举问题进行解答。运用枚举法解应用题时，必须注意无重复、无遗漏，因此必须有次序、有规律地进行枚举。

运用枚举法解题的关键是要正确分类，要注意以下两点：一是分类要全，不能造成遗漏；二是枚举要清，要将每一个符合条件的对象都列举出来。

○月○日

王牌例题1

从小华家到学校有3条路可以走，从学校到文峰公园有4条路可以走。从小华家到文峰公园有几种不同的走法？

【思路导航】

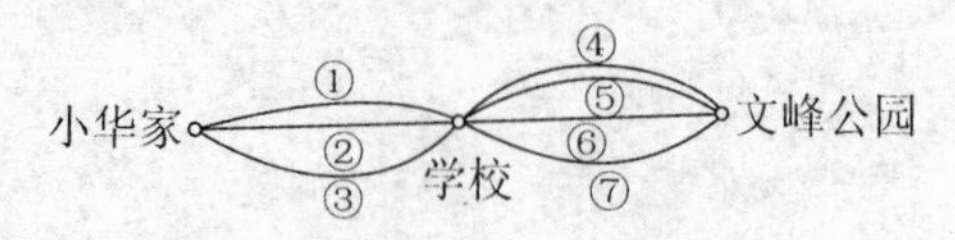

为了帮助理解题意，我们可以画出如上示意图。

我们把从小华家到文峰公园的不同走法一一列举如下：

第一种走法：　小华家 $\xrightarrow{①}$ 学校 $\xrightarrow{④}$ 文峰公园

第二种走法：　小华家 $\xrightarrow{①}$ 学校 $\xrightarrow{⑤}$ 文峰公园

第三种走法：　小华家 $\xrightarrow{①}$ 学校 $\xrightarrow{⑥}$ 文峰公园

第四种走法：　小华家 $\xrightarrow{①}$ 学校 $\xrightarrow{⑦}$ 文峰公园.

第五种走法：　小华家 $\xrightarrow{②}$ 学校 $\xrightarrow{④}$ 文峰公园

第六种走法：　小华家 $\xrightarrow{②}$ 学校 $\xrightarrow{⑤}$ 文峰公园

第七种走法：　小华家 $\xrightarrow{②}$ 学校 $\xrightarrow{⑥}$ 文峰公园

第八种走法：　小华家 $\xrightarrow{②}$ 学校 $\xrightarrow{⑦}$ 文峰公园

第九种走法：　小华家 $\xrightarrow{③}$ 学校 $\xrightarrow{④}$ 文峰公园

第十种走法：　小华家 $\xrightarrow{③}$ 学校 $\xrightarrow{⑤}$ 文峰公园

第十一种走法：　小华家 $\xrightarrow{③}$ 学校 $\xrightarrow{⑥}$ 文峰公园

第十二种走法：　小华家 $\xrightarrow{③}$ 学校 $\xrightarrow{⑦}$ 文峰公园

根据以上列举可知，从小华家经学校到文峰公园，走①路有四种不同走法，走②路有四种不同走法，走③路也有四种不同走法，共有 $4\times3=12$ 种不同走法。列式如下：

$$4\times3=12(\text{种})$$

答：从小华家到公园共有 12 种不同走法。

举一反三 1

1. 从甲地到乙地有 3 条公路直达，从乙地到丙地有 2 条铁路直达。从甲地到丙地有多少种不同走法？

2.新华书店有 3 种不同的英语书、4 种不同的数学书在销售，小明想买一种英语书和一种数学书，共有多少种不同买法？

3.明明有 2 件不同的上衣、3 条不同的裤子、4 双不同的鞋子，最多可搭配成多少种不同的装束？

○月○日

王牌例题②

一个长方形的周长是 22 米，如果它的长和宽都是整米数，那么这个长方形的面积有多少种可能值？

【思路导航】由于长方形的周长是 22 米，可知它的长与宽之和为 11 米。下面列举出符合这个条件的各种长方形：

长（米）	10	9	8	7	6
宽（米）	1	2	3	4	5
面积（米^2）	10	18	24	28	30

答：这个长方形的面积有 5 种可能值。

举一反三 2

1.一个长方形的周长是 30 厘米，如果它的长和宽都是整厘米数，那么这个长方形的面积有多少种可能值？

2.把 15 个玻璃球分成数量不同的 4 堆，共有多少种不同的分法？

3.3 个自然数的乘积是 18，由这样的 3 个数所组成的数组有多少个？如(1，2，9)就是其中的一个，而且数组中数字相同但顺序不同的算作同一数组，如(1，2，9)和(2，9，1)是同一数组。

○月○日

王牌例题③

有 4 个小朋友，寒假中互相通一次电话，他们一共打了多少次电话？

【思路导航】把 4 个小朋友分别编号：A、B、C、D，A 与其他小朋友打电话，应该打 3 次，同样 B、C、D 也应与其他小朋友打了 3 次电话，4 个小朋友共打了 $3\times4=12$ 次电话，但题目要求 2 个小朋友之间只要通一次电话，那么 A 打电话给 B 时，A、B 两人已通过话了，所以 B 没有必要再打电话给 A，照这样计算，12 次电话中有一半是重复计算的，所以实际打电话的次数是 $3\times4\div2=6$ 次。列式如下：

$$3\times4\div2=6(\text{次})$$

答：他们一共打了 6 次电话。

举一反三 3

1. 6 个小队进行排球比赛，每两队比赛一场，共要进行多少场比赛？

2. 小芳出席由 19 人参加的联欢会，散会后每两人都要握一次手，他们一共握了多少次手？

3. A、B、C、D、E 这五个人一起回答一个问题，结果只有两个人答对了，所有可能的回答情况一共有多少种？

○月○日

王牌例题④

一条铁路，共有 10 个车站，如果每个起点站到终点站只用一种车票(中间至少相隔 5 个车站),那么这样的车票共有多少种?

【思路导航】我们可用 1～10 编号,每个号码表示一个车站:

1 2 3 4 5 6 7 8 9 10

可以利用列举的方法:如果起点站是 1,那么终点站只能是 7 或 8 或 9 或 10;如果起点站是 2,那么终点站只能是 8 或 9 或 10;如果起点站是 3,那么终点站只能是 9 或 10;如果起点是 4,终点站只能是 10,如果起点是 5,6 时,就找不到与它至少相隔 5 个车站的终点站了。而起点站为 7 时,终点站是 1。起点站是 8 时,那终点站是 2 或 1;起点站是 9 时,那么终点站是 3 或 2 或 1;起点站为 10 时,终点站是 4 或 3 或 2 或 1。那么起点到终点至少相隔 5 个车站的车票有:

$$4+3+2+1+0+0+1+2+3+4=20(\text{种})$$

答:这样的车票有 20 种。

举一反三 4

1. 上海、北京、天津三个城市分别建有一个飞机场,它们之间通航一共需要多少种不同的机票?

2. 小王准备从青岛、北京、海南、桂林 4 个城市中选 2 个去旅游,有多少种不同的选择方法?如果小王想去其中的 3 个城市,又有多少种选择方法?

3. 一条公路上共有 8 个站点,如果每个起点到终点只用一种车票(中间至少相隔 3 个车站),那么共有多少种不同的车票?

○月○日

王牌例题 5

小悦买了一些大福娃和一些小福娃,一共不到 10 个,且两种福娃的个数不一样多。请问两种福娃的个数可能有多少种不同的情况？

【思路导航】当大、小福娃的总数是9个时，大、小福娃的个数可以分别是1,8;2,7;3,6;4,5;5,4;6,3;7,2;8,1，共8种；当大小福娃的总数是8个时，大、小福娃的个数可以分别是1,7;2,6;3,5;5,3;6,2;7,1，共6种；当大、小福娃的总数是7个时，大、小福娃的个数可以分别是1,6;2,5;3,4;4,3;5,2;6,1，共6种……当大、小福娃的总数是3个时，大、小福娃的个数可以分别1,2;2,1，共2种。

所以，共有8＋6＋6＋4＋4＋2＋2＝32种不同的情况。

举一反三 5

1.在1～49中，任意取两个和小于50的数，共有多少种不同的取法？

2.在算盘上用两颗珠子可以表示多少个不同的四位数？

3.十把钥匙开十把锁，但钥匙放乱了，问最多要试多少次才可以找到相应的锁？最多要试多少次才能打开相应的锁？

第20周 等量代换

专题简析

“等量代换”是解数学题时常用的一种思考方法，即两个相等的量可以互相代换。当年曹冲称象时，就是运用了这种方法。因为只有当大象与一船石头质量相等时，两次船下水后船身被水面所淹没的深度才一样，所以称大象的体重只要称出一船石头的质量就可以了。

在有些问题中，存在着两个相等的量，我们可以根据已知条件与未知数量之间的关系，用一个未知数量代替另一个未知数量，从而找出解题的方法。这就是等量代换的基本方法。

○月○日

王牌例题1

想一想，1个梨的质量等于几个桃子的质量？

【思路导航】根据“1 个苹果的质量＝3 个桃子的质量”，可得出 2 个苹果的质量＝6 个桃子的质量，又因为“1 个梨的质量＝2 个苹果的质量”，所以 1 个梨的质量＝6 个桃子的质量。列式如下：

$$3\times2=6(\text{个})$$

答：1 个梨的质量等于 6 个桃子的质量。

举一反三 1

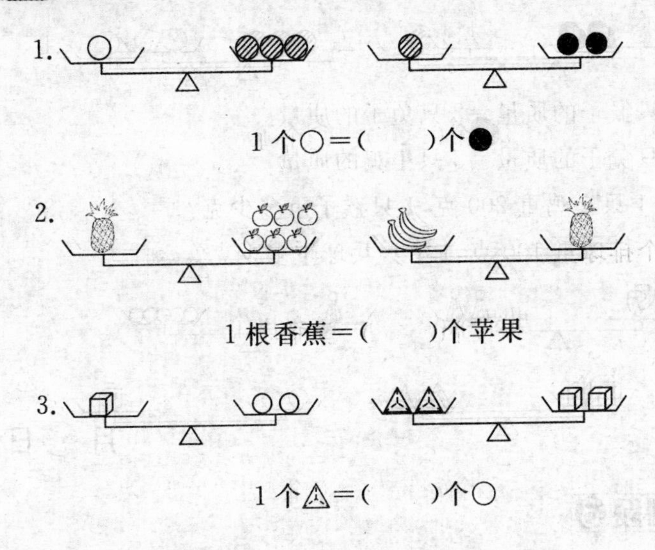

○月○日

王牌例题②

如果 1 个乒乓球重 8 克，那么 1 个足球重多少克？

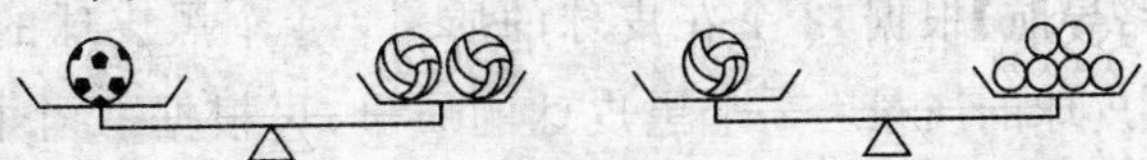

【思路导航】根据“1 个排球的质量＝6 个乒乓球的质量”可知“2 个排球的质量＝12 个乒乓球的质量”。又因为“1 个足球的质量＝2 个排球的质量”，所以 1 个足球的质量＝12 个乒乓球的质量。再根据 1 个乒乓球重 8 克，可推出 1 个足球重 $8\times12=96$ 克。

列式如下：

$$8\times(6\times2)=96(克)$$

答:1个足球重96克。

举一反三 2

1.1个苹果重100克,1个菠萝重多少克?

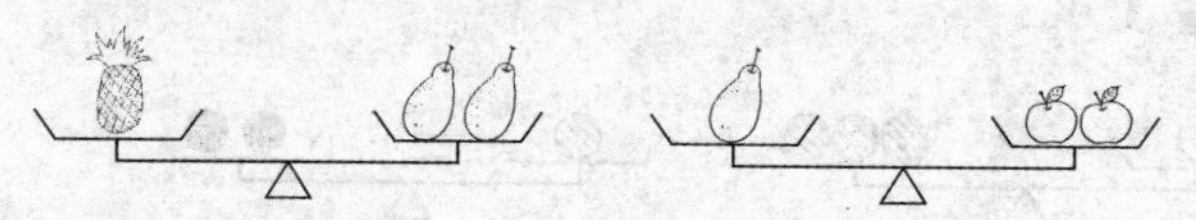

2.1只猴子的质量＝2只兔子的质量

1只兔子的质量＝3只小鸡的质量

已知1只小鸡重200克,1只猴子重多少克?

3.1个排球重100克,1个乒乓球重多少克?

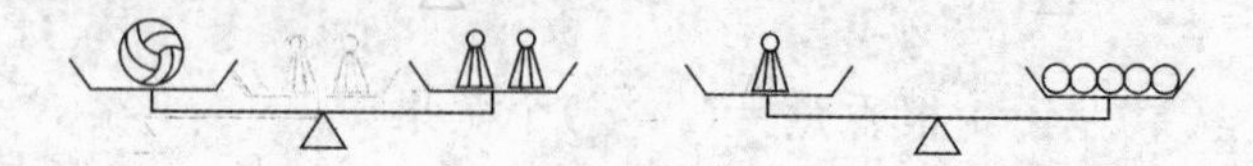

○月○日

王牌例题③

想一想,1个白皮球的质量等于几个黑皮球的质量?

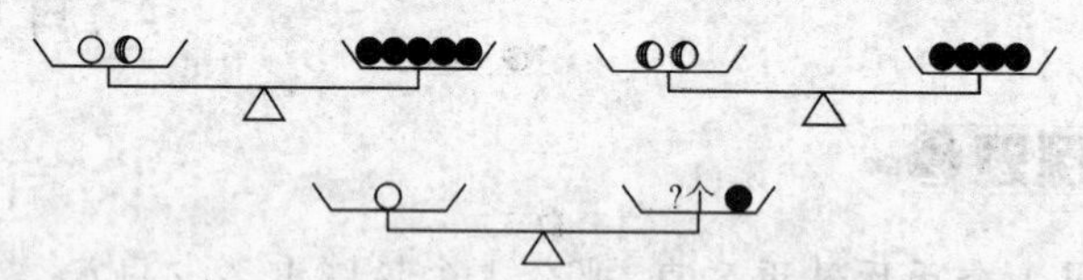

【思路导航】根据“2个花皮球的质量＝4个黑皮球的质量”可知1个花皮球的质量＝2个黑皮球的质量,再根据“1个白皮球的质量＋1个花皮球的质量＝5个黑皮球的质量”可推出1个白皮球的质量＝3个黑皮球的质量。列式如下:

$$5-4\div2=3(个)$$

答:1个白皮球的质量等于3个黑皮球的质量。

举一反三 3

1.1 个菠萝的质量等于几个桃子的质量？

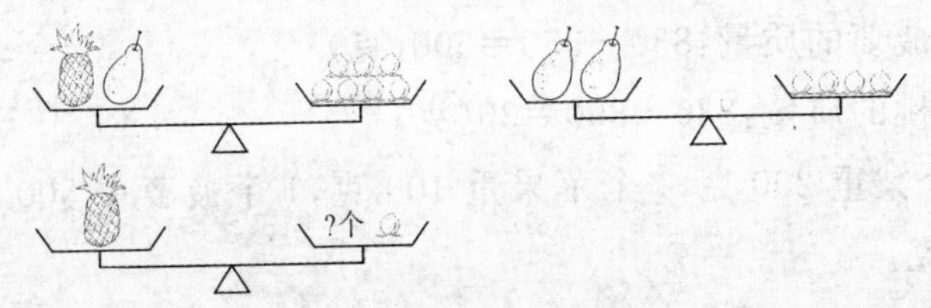

2.1 只兔子的质量＋1 只猴子的质量＝8 只鸡的质量

3 只兔子的质量＝9 只鸡的质量

1 只猴子的质量＝？只鸡的质量

3.1 只松鼠的质量＋1 只兔子的质量＝5 只鸭的质量

2 只松鼠的质量＝6 只鸭的质量

1 只兔子的质量＝？只鸭的质量

○月○日

王牌例题④

4 种水果各重多少克？

【思路导航】由图我们可知每种水果在图中都出现了 3 次，那可求出 4 种水果各 3 个的总质量：630＋730＋330＋800＝2490 克，再求 4 种水果各 1 个的质量：2490÷3＝830 克，然后根据图①可求出 1 个梨的质量是 830－630＝200 克；根据图②可求出 1 个苹果的质量是 830－730＝100 克；根据图③可求出 1 个菠萝的质量是 830－330＝500 克；根据图④可求出一个桃子的质量是 830－800＝30 克。列式如下：

(630＋730＋330＋800)÷3＝830(克)

1个梨的质量:830－630＝200(克)

1个苹果的质量:830－730＝100(克)

1个菠萝的质量:830－330＝500(克)

1个桃的质量:830－800＝30(克)

答:1个梨重200克,1个苹果重100克,1个菠萝重500克,1个桃重30克。

举一反三 4

1. 已知:1只鸡的质量＋1只猴的质量＝1500克
   1只猴的质量＋1只鸭的质量＝1800克
   1只鸡的质量＋1只鸭的质量＝1300克

求:3种动物每只各重多少克?

2. 已知:1筐苹果的质量＋1筐橘子的质量＝90千克
   1筐橘子的质量＋1筐香蕉的质量＝140千克
   1筐香蕉的质量＋1筐苹果的质量＝150千克

求:3种水果每筐各重多少千克?

3. 已知:红气球的个数＋蓝气球的个数＋绿气球的个数＝35个
   蓝气球的个数＋绿气球的个数＋白气球的个数＝43个
   绿气球的个数＋白气球的个数＋红气球的个数＝33个
   红气球的个数＋蓝气球的个数＋白气球的个数＝48个

求:红、蓝、绿、白四种颜色的气球各几个?

○月○日

王牌例题 5

柜子里有大、中、小三种花瓶,买4个中瓶的钱可以买2个大瓶和1个中瓶,买11个小瓶的钱与买6个中瓶的钱一样。买8个大瓶的钱可以买几个小瓶?

【思路导航】由“买 4 个中瓶的钱可以买 2 个大瓶和 1 个中瓶”,可以推出:3 个中瓶的钱=2 个大瓶的钱,进而得到:6 个中瓶的钱=4 个大瓶的钱。又根据“买 11 个小瓶的钱与买 6 个中瓶的钱一样”,可以推出:4 个大瓶的钱=11 个小瓶的钱,所以买 8 个大瓶的钱可以买 22 个小瓶。列式如下:

4－1=3(个)

6÷3=2

2×2=4(个)

8÷4=2

11×2=22(个)

答:买 8 个大瓶的钱可以买 22 个小瓶。

举一反三 5

1. 有 4 盆水,如果全部倒入桶内,能装满 3 个桶;有 7 大杯水,如果全部倒入盆内,能装满 2 个盆。现在有 6 桶水,如果用大杯来装,要准备几个大杯子?

2. 买 3 个西瓜的钱可以买 3 个香瓜和 1 个西瓜,买 9 个香瓜的钱可以买 25 个桃子。买 12 个西瓜的钱可以买多少个桃子?

3. 文峰商场体育柜台的货架上放着大、中、小三种球(如下图所示)。已知 1 个小球重 150 克,每层的重量相等。大、中两种球每个各重多少克?

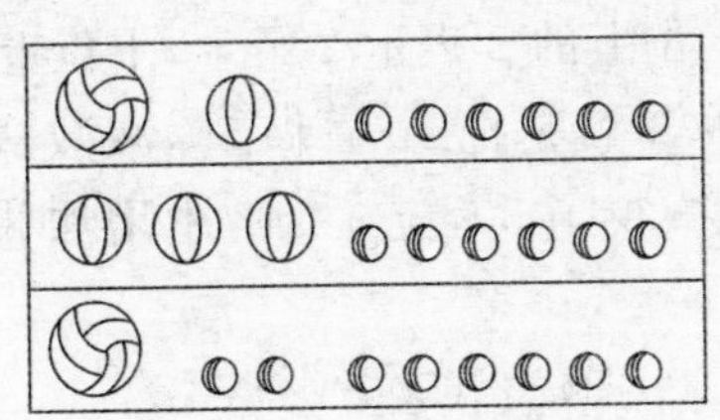

第21周 错中求解

专题简析

在进行加、减、乘、除运算时，要认真审题，不能抄错题目，不能漏掉数字。计算时要仔细小心，不能有丝毫的马虎，否则就会造成错误。

解答“错中求解”这类题时，往往要采用倒推的方法，从错误的结果入手，分析错误的原因，最后利用和差的变化求出加数或被减数、减数，利用积、商的变化求出因数或被除数、除数。

○月○日

王牌例题1

小马虎在做一道减法题时，把减数十位上的2看成了5，结果得到的差是342。正确的差是多少？

【思路导航】十位上的2表示2个十，十位上的5表示5个十，把十位上的2看做5，就是把20看做50，减数从20变为50，增加了30，所得的差就减少了30，应在342中增加30，才是正确的差。列式如下：

$$342+(50-20)=372$$

答：正确的差是372。

举一反三 1

1. 小马虎在做减法题时，把被减数十位上的3错写成8，结果得到的差是284。正确的差是多少？

2. 在减法算式中，错把减数个位上的3写成了5，得到的差是254。正确的差应该是多少？

3. 小丽在做一道减法题时，错把被减数十位上的2看做7，把减数个位上的5看做8，结果得到的差是592。正确的差应该是多少？

○月○日

王牌例题②

小马虎在计算一道题目时，把某数乘3加20，误看成某数除以3减20，得数是72。某数是多少？正确的得数是多少？

【思路导航】小马虎计算的得数是72，是先除再减得到的，我们可以根据逆运算的顺序把72先加后乘，求出某数为(72＋20)×3＝276，然后再按题目要求，按运算顺序求出正确的得数276×3＋20＝848。列式如下：

$$(72+20)\times3=276$$

$$276\times3+20=848$$

答：某数是276，正确的得数是848。

举一反三 2

1. 小丽在计算一道题时，把某数乘4加20，误看成某数除以4减20，得数为35。某数是多少？正确的结果是多少？

2. 小粗心在计算一道题时，把某数除以2减4，误看成某数乘2加4，得数是36。正确结果是多少？

3.小华在计算一道题时，把一个数加上4乘2误看成了某数乘2加上4，得数为40。正确的结果是几？

○月○日

王牌例题③

小马虎在做两位数乘两位数的乘法时，把一个乘数个位上的5看成2，乘得结果是550，实际的结果应为625。这两个两位数各是几？

【思路导航】我们可以用竖式来帮助分析：

$$\begin{array}{r} \square\square \\ \times \quad \square 5 \\ \hline 6\ 2\ 5 \end{array} \longrightarrow \begin{array}{r} \square\square \\ \times \quad \square 2 \\ \hline 5\ 5\ 0 \end{array}$$

把一个乘数个位上的5看做2，结果比原来少了5－2＝3个另一个乘数，实际的结果与错误的结果相差625－550＝75，75正好是另一个乘数的3倍，另一个乘数是75÷3＝25，这个乘数是625÷25＝25，因而两个乘数都是25。列式如下：

(625－550)÷(5－2)＝25

625÷25＝25

答：这两个两位数都是25。

举一反三3

1.一个学生在做两位数乘法时，把一个乘数个位上的8错写成4，乘得的结果是1080，实际结果应为1260。这两个两位数分别为多少？

2.小华在做一道两位数乘法时，把一个乘数个位上的3错写成5，乘得的结果是875，正确的结果是805。这两个两位数分别为多少？

3. 小芳在计算一道题时，把 5×(△+7)错写成 5×△+7，她得到的结果与正确答案相差多少？

○月○日

王牌例题④

小红和小明同时计算两个数的和，小红算得的结果是 778，小明算得的结果是 373。现已知小红计算的结果正确，小明计算的结果是错误的，小明算错的原因是将其中一个加数末尾的 0 漏掉了。两个加数各是多少？

【思路导航】由题目可知：小明计算的结果与正确的结果相差 778－373＝405，究其原因是由于小明把其中一个加数末尾的 0 漏掉了，如果把加数末尾漏掉一个 0 后的数看做 1 份，那原来的数就是这样的 10 份，相差 9 份，这样结果就差了 405，也就是说 9 份是 405，那 1 份就是 405÷9＝45，原来的数就是 45×10＝450。这样可以求出另一个加数是 778－450＝328。列式如下：

778－373＝405　　405÷(10－1)＝45

45×10＝450　　778－450＝328

答：两个加数分别是 450 和 328。

举一反三 4

1. 小芳和小王同时计算两个数的和，小芳算得的结果是 715，小王算得的结果是 463。现已知小芳的计算结果正确，小王的计算结果错误，小王算错的原因是将其中一个加数末尾的 0 漏掉了。两个加数各是多少？

2. 小华和小宁同时计算两个数的和，小华算得的结果是 898，小宁算得的结果是 610。现已知小宁的计算结果是正确的，小华的计算结果是错误的，小华算错的原因是在其中一个加数的末尾添上了一个0。两个加数各是多少？

3. 小峰和小华计算同一道减法题，小峰的计算结果是294，小华的计算结果是96。已知小峰的计算结果是正确的，小华计算错误的原因是在减数的末尾多写了一个0。问这道减法算式的被减数和减数各是多少？

○月○日

王牌例题⑤

小林和小华同时做一道被减数是四位数的减法题，小林计算时在这个四位数的左端错添了一个5，而小华计算时在这个四位数的右端错添了一个5，结果两人所得的差相差22122。求这个四位数。

【思路导航】由题目可知：小林计算时把被减数增加了5×10000＝50000；小华计算时把这个被减数扩大了10倍并增加了5；两人所得差相差22122，其实就是两个写错的被减数的差。如果用□表示这个被减数，可用如下两个式子表示：(□＋50000)－(□×10＋5)＝22122或(□×10＋5)－(□＋50000)＝22122，经计算□＝3097或8013。

举一反三5

1. 把3写在某个三位数的左端得到一个四位数，把3写在这个三位数的右端也得到一个四位数，这两个四位数的差是1071。求这个三位数。

2. 把6写在某个四位数的左端得到一个五位数，把4写在这个四位数的右端也得到一个五位数，这两个五位数的差是41969。求这个四位数。

3. 小强在计算(1995－□)÷15＋21这道题时，按照没有括号的运算顺序计算了，结果得2003。正确结果应该是多少？

第22周 “对应”解题

专题简析

小朋友在解答应用题时，经常会碰到这样一类题，给定的数量和所对应的数量关系是在变化的，为了使变化的数量看得更清楚，可以把已知条件按照它们之间的对应关系排列出来，进行观察和分析，从而找到答案，这种解题的思维方法叫对应法。

在用对应法解题时，通常先把题目中的数量关系转化为等式，并把这些等式按顺序编号，然后认真观察，比较对应关系的变化，以便寻找解题的突破口。

○月○日

王牌例题①

奶奶去买水果，如果她买 4 千克梨和 5 千克荔枝，需花 58 元；如果她买 6 千克梨和 5 千克荔枝，那么需花 62 元。问 1 千克梨和 1 千克荔枝各多少元？

【思路导航】我们可以把两次买水果的情况写出来进行比较：

4 千克梨＋5 千克荔枝＝58 元　　　①

6 千克梨＋5 千克荔枝＝62 元　　②

比较①和②式，发现两式中荔枝的千克数相等，②式比①式多了 6－4＝2 千克梨，也就是多了 62－58＝4 元，说明 1 千克梨的价钱为 4÷2＝2 元，那么 1 千克荔枝的价钱就是(58－2×4)÷5＝10 元。列式如下：

(62－58)÷(6－4)＝2(元)

(58－2×4)÷5＝10(元)

或(62－2×6)÷5＝10(元)

答：1 千克梨 2 元，1 千克荔枝 10 元。

举一反三 1

1.3 筐苹果和 5 筐橘子共重 270 千克，3 筐苹果和 7 筐橘子共重 342 千克。1 筐苹果和 1 筐橘子各重多少千克？

2.张老师为图书室买书，如果他买 6 本童话书和 7 本故事书需 144 元；如果买 9 本童话书和 7 本故事书需 174 元。那么张老师买 7 本童话书和 6 本故事书共需多少元？

3.粮店运来一批粮食，4 袋大米和 5 袋面粉共重 600 千克，2 袋大米和 3 袋面粉共重 340 千克。1 袋大米和 1 袋面粉各重多少千克？

〇月〇日

王牌例题②

某学校准备买足球和排球，如果买 3 个足球和 4 个排球共需要 190 元；如果买 6 个足球和 2 个排球需要 230 元。那么 1 个足球和 1 个排球各需要多少元？

【思路导航】我们可以把两次买足球和排球的情况写出来来进行比较：

3个足球+4个排球=190元 ①

6个足球+2个排球=230元 ②

我们把①和②两式进行比较,发现两式无论是相加还是相减,都不可能求出足球和排球的单价,因为这里没有一个相同的条件可减去。我们再观察可以发现,如果把①式两边同时扩大2倍,得到6个足球和8个排球共380元,然后再与②式进行比较,发现足球个数相同,而排球多了6个,也就多了380-230=150元,也就是6个排球是150元,1个排球为150÷6=25元,那么1个足球是(190-25×4)÷3=30元。列式如下:

(190×2-230)÷(4×2-2)=25(元)

(190-25×4)÷3=30(元)

答:1个足球30元,1个排球25元。

举一反三 2

1.5筐番茄和2筐黄瓜共重330千克;3筐番茄和4筐黄瓜共重310千克。1筐番茄和1筐黄瓜各重多少千克?

2.4本练习本和5支圆珠笔共14元;2本练习本和4支圆珠笔共10元。1本练习本和1支圆珠笔各多少元?

3.2件上衣和3条裤子共480元;4件上衣和2条裤子共640元。1件上衣和1条裤子各多少元?

○月○日

王牌例题 ③

商店里有一些气球,其中红气球和蓝气球共21只,蓝气球和黄气球共28只,黄气球和红气球共29只。红气球、蓝气球和黄气球各有多少只?

【思路导航】根据题意,我们可以列出下列关系式:

红气球个数＋蓝气球个数＝21　①

蓝气球个数＋黄气球个数＝28　②

黄气球个数＋红气球个数＝29　③

我们可将①＋②＋③，即 21＋28＋29＝78 只，这里包含有 2 倍红气球的个数、2 倍蓝气球的个数、2 倍黄气球的个数，由此可得出三种气球的总只数为 78÷2＝39 只。然后再根据红气球和蓝气球共 21 只，可求出黄气球的只数 39－21＝18 只，同理可求出红气球的只数是 39－28＝11 只，蓝气球的只数是 39－29＝10 只。列式如下：

(21＋28＋29)÷2＝39(只)

黄气球：39－21＝18(只)

红气球：39－28＝11(只)

蓝气球：39－29＝10(只)

答：红气球有 11 只，蓝气球有 10 只，黄气球有 18 只。

举一反三 3

1. 小明和小红加起来 12 岁，小红和小丽加起来 17 岁，小丽和小明加起来 13 岁。三人各多少岁？

2. 新华书店有批书，故事书和连环画共 70 本，连环画和科技书共 82 本，科技书和故事书共 76 本。三种书各多少本？

3. 公园举办菊花展，白菊花和黄菊花共 152 盆，黄菊花和红菊花共 128 盆，红菊花和白菊花共 168 盆。三种菊花各几盆？

○月○日

王牌例题④

三年级三个班的同学利用课余时间种了一片小树林，这片小树林中72棵不是一班种的，75棵不是二班种的，73棵不是三班种的。问这三个班各种了多少棵树？

【思路导航】已知“72棵不是一班种的”，说明二班和三班共种树72棵；“75棵不是二班种的”，说明一班和三班共种树75棵；“73棵不是三班种的”说明一班和二班共种树73棵。这样，我们就可以求出三个班共种树的棵数：(72＋75＋73)÷2＝110棵。用110－72＝38棵，就求出了一班种的棵数，用110－75＝35棵，就求出了二班种的棵数，用110－73＝37棵，就可求出了三班种树的棵数。列式如下：

(72＋75＋73)÷2＝110(棵)

三(1)种树：110－72＝38(棵)

三(2)种树：110－75＝35(棵)

三(3)种树：110－73＝37(棵)

答：三(1)班种了38棵树，三(2)班种了35棵树，三(3)班种了37棵树。

举一反三 4

1. 百货商店运来三种鞋子，其中37双不是皮鞋，54双不是运动鞋，51双不是布鞋。三种鞋各运来多少双？

2. 一个班同学在做作业，班主任在了解情况后得知：全班同学都只做完了语文、数学、英语作业其中的一种，有23人没有做完数学作业，有19人没有做完语文作业，有16人没有做完英语作业。做完三种作业的各多少人？

3. 学校买来四种颜色的气球，其中有93个不是红气球，有95个不是黄气球，有98个不是蓝气球，紫气球有10个。学校共买了多少个气球？

○月○日

王牌例题⑤

已知13个李子的质量等于2个苹果和1个桃子的质量,4个李子和1个苹果的质量等于1个桃子的质量。问多少个李子的质量等于1个桃子的质量?

【思路导航】根据题意列出等式:

13李=2苹+1桃　①

4李+1苹=1桃　②

把②式代入①式得:13李=2苹+4李+1苹

即:9李=3苹

即:3李=1苹　③

把③式代入②式得:4李+3李=1桃

即:7李=1桃

答:7个李子的质量等于1个桃子的质量。

举一反三5

1.3个菠萝的质量等于1个梨和1个西瓜的质量,1个菠萝和3个梨的质量等于1个西瓜的质量。问多少个梨的质量等于1个西瓜的质量?

2.2个苹果的质量等于3个橘子和3个荔枝的质量,1个苹果和2个荔枝的质量等于3个橘子的质量。问3个橘子的质量等于多少个荔枝的质量?

3.三个好朋友去文具店买文具,一人买了4支圆珠笔,一人买了2支钢笔,还有一人买了1支钢笔、1支圆珠笔和4支铅笔,三个人用掉的钱数量相等。那么1支钢笔的价格相当于几支铅笔的价格?

第23周 盈亏问题

专题简析

把一定数量的物品,平均分给一定数量的人,每人少分,则物品有余(盈);每人多分,则物品不足(亏)。已知所盈和所亏的数量,求物品数量和人数的应用题叫盈亏问题。"例如:把一袋饼干分给小班的小朋友,如果每人分3块,多12块;如果每人分4块,少8块。小朋友有多少人?饼干有多少块?"这种一盈一亏的情况,就是我们通常所说的标准的盈亏问题。

盈亏问题的基本解决方法是:

份数=(盈+亏)÷两次分配数的差。物品数可由其中一种分法的份数和盈亏数求出。还有一些非标准的盈亏问题,比如"两盈",即两次分配都有多余,解决"两盈"问题的数量关系是:两次盈数的差÷两次分配数的差=参与分配的对象的总数。

解答盈亏问题的关键是要求出总差额和两次分配的数量差,然后利用基本公式求出分配者人数,进而求出物品的数量。

○月○日

王牌例题1

幼儿园买了一批玩具，如果每班分 8 个玩具，则多出 2 个玩具；如果每班分 10 个玩具，则少 12 个玩具。幼儿园有几个班？这批玩具共有多少个？

【思路导航】根据题目中的条件，我们可知：

第一种分法：每班分 8 个，多 2 个。

第二种分法：每班分 10 个，少 12 个。

从上面的条件中我们可看出：第二种分法比第一种分法每班多分 10－8＝2 个，所以所需的玩具总个数从多 2 个变成了少 12 个，也就是说在多 2 个的基础上再加 12 个，才能保证每班分 10 个，第二种分法所需要的玩具个数比第一种多 12＋2＝14 个，那是因为每班多分了 2 个，根据这一对应关系，即可求出班级的个数为 14÷2＝7 个，玩具的总个数 8×7＋2＝58 个。列式如下：

班级个数：(12＋2)÷(10－8)＝7(个)

玩具个数：8×7＋2＝58(个)

答：幼儿园有 7 个班，这批玩具共有 58 个。

举一反三 1

1. 小玲带了一些钱去买苹果，如果买 3 千克，则多出 4 元；如果买 6 千克，则少 8 元。苹果每千克多少元？小玲带了多少钱？

2. 一个小组去公园植树，如果每人植 4 棵，还剩 12 棵；如果每人植 8 棵，则还缺 4 棵。这个小组有几人？一共有多少棵树苗？

3. 一组学生去搬书，如果每人搬 2 本，还剩下 12 本；如果每人搬 3 本，还剩下 6 本。这组学生有几人？这批书有几本？

◯月◯日

王牌例题②

一个植树小组植树。如果每人植5棵，还剩14棵；如果每人植7棵，就缺4棵。这个植树小组有多少人？一共有多少棵树？

【思路导航】列出已知条件：

每人植5棵，多14棵。

每人植7棵，少4棵。

由题意可知，植树的人数和树的棵数是不变的。比较两种植树方案，结果相差14+4=18棵，即第一种方案的结果比第二种方案的结果多18棵，这是因为两种分配方案每人植树的棵树相差7−5=2棵。所以植数小组有18÷2=9人，共有5×9+14=59棵树。列式如下：

$$(14+4)\div(7-5)=9(\text{人})$$

$$5\times9+14=59(\text{棵})$$

答：这个植树小组有9人，一共有59棵树。

举一反三 2

1.幼儿园把一些积木分给小朋友，如果每人分2个，则剩下20个；如果每人分3个，则差40个。幼儿园有多少个小朋友？共有多少个积木？

2.某校安排宿舍，如果每间6人，则16人没有床位；如果每间8人，则多出10个床位。宿舍有多少间？学生共有多少人？

3.有一个班的同学去划船，他们算了一下，如果增加一条船，正好每条船坐6人；如果减少一条船，正好每条船坐9人。这个班共有多少名同学？

○月○日

王牌例题3

幼儿园老师给小朋友分梨，如果每人分4个，则多9个；如果每人分5个，则少6个。有多少个小朋友？有多少个梨？

【思路导航】这是一道典型的“一盈一亏”题。由题意可知，小朋友的人数和梨的个数是不变的。比较两次分梨的情况，结果相差 $9+6=15$ 个，即每人分4个比每人分5个多余15个梨。为什么会余下15个梨呢？因为每人少分了 $5-4=1$ 个梨，所以用 $15\div1=15$ 个就是小朋友的人数，再用 $15\times4+9=69$ 个就是梨的个数。列式如下：

$$(9+6)\div(5-4)=15(\text{个})$$

$$15\times4+9=69(\text{个})$$

答：有15个小朋友，有69个梨。

举一反三 3

1. 小明去买练习本，他付给营业员的钱买4本多1元，买6本少2元。小明付给营业员多少元？每本练习本多少元？

2. 老师把一些铅笔奖给三好学生。每人5支则多4支；每人7支则少4支。老师有多少支铅笔？奖给多少个三好学生？

3. 幼儿园老师将一筐苹果分给小朋友。如果分给大班的小朋友每人5个余10个；如果分给小班的小朋友每人8个缺2个。已知大班比小班多3个小朋友。这筐苹果有多少个？

○月○日

王牌例题④

老师买来一些练习本分给优秀少先队员。如果每人分 5 本，则多了 14 本；如果每人分 7 本，则多了 2 本。优秀少先队员有几人？老师买来多少本练习本？

【思路导航】根据题目中的条件，我们可知：

第一种分法：每人分 5 本，多了 14 本。

第二种分法：每人分 7 本，多了 2 本。

从上面可知第二种分法比第一种分法每人多分了 $7-5=2$ 本，这样就从原来的多 14 本变为多 2 本，两种分配方法的结果相差了 $14-2=12$ 本，每人多分了 2 本，多少人会多分了 12 本呢？根据这一对应关系，可求出优秀少先队员的人数为 $12\div2=6$ 人，练习本的本数为 $5\times6+14=44$ 本。列式如下：

少先队员人数：$(14-2)\div(7-5)=6$(人)

练习本的本数：$5\times6+14=44$(本)

答：优秀少先队员有 6 人，买来 44 本练习本。

举一反三 4

1. 把一袋糖分给小朋友们，如果每人分 4 粒，则多了 12 粒；如果每人分 6 粒，则多了 2 粒。有小朋友几人？有多少粒糖？

2. 妈妈买来一些苹果分给全家人，如果每人分 6 个，则多了 12 个；如果每人分 7 个，则多了 6 个。全家有几人？妈妈共买回多少个苹果？

3. 某学校有一些学生住校，如果每间宿舍住 8 人，空出床位 24 张；如果每间宿舍住 10 人，则空出床位 2 张。学校共有几间宿舍？住宿学生有几人？

○月○日

王牌例题⑤

一些少先队员到山上去种一批树。如果每人种 16 棵树,还有 24 棵树没种;如果每人种 19 棵树,还有 6 棵树没种。问有多少名少先队员?有多少棵树?

【思路导航】 每人种 16 棵树,多 24 棵;

每人种 19 棵树,多 6 棵。

这是“两盈”的问题。由题意可知:少先队员的人数和树的棵数是不变的。比较两种分配方案,结果相差 24－6＝18 棵,这是因为两种分配方案每人种树的棵数相差 19－16＝3 棵。所以少先队员有 18÷3＝6 名,树有 16×6＋24＝120 棵。列式如下:

(24－6)÷(19－16)＝6(名)

16×6＋24＝120(棵)

答:有 6 名少先队员,有 120 棵树。

举一反三 5

1.小虎在敌人窗外听房子里边敌人在分子弹:一人说每人背 45 发还多 260 发;另一人说每人背 50 发还多 200 发。求有多少敌人?有多少发子弹?

2.杨老师将一叠练习本分给第一小组同学。如果每人分 7 本还多 7 本;如果每人分 8 本则正好分完。第一小组有几个学生?这叠练习本共有多少本?

3.崔老师给美术兴趣小组的同学分若干支彩色笔。如果每人分 5 支则多 12 支;如果每人分 8 支则多 3 支。请问每人分多少支彩色笔才能刚好分完?

第24周 简单推理(一)

专题简析

数学课上,老师布置了一道题:

□+△=28　　　　□=△+△+△

□=(　　)　　　　△=(　　)

要得出正确的结论,就要进行分析、推理。学会了推理,能使你变得更聪明,头脑更灵活。在数学领域许多重大的发现及疑难问题的解决都离不开推理。

解答这类推理题时,要求小朋友仔细观察,认真分析等式中几个图形之间的关系,寻找解题的突破口,然后再利用等量代换及消去法等方法来进行解答。

○月○日

王牌例题1

下列算式中△和□各代表几?

△+□=9

△+△+□+□+□=25

△=(　　)　□=(　　)

【思路导航】根据△＋□＝9，可以推理出△＋△＋□＋□＝18，而△＋△＋□＋□＋□＝25，对比可以发现一个□等于25－18＝7，从而可以推理出△＝9－7＝2。

△＝2　　□＝7

举一反三 1

1. □＋○＝7

□＋□＋□＋○＋○＝19

□＝(　　)　○＝(　　)

2. ☆＋○＋○＝11

☆＋☆＋○＋○＋○＝19

☆＝(　　)　○＝(　　)

3. □＋△＋△＝10

□＋□＋△＝8

□＝(　　)　△＝(　　)

○月○日

王牌例题②

下列各式中，□和△各代表几？

□＋□＋□＋□＋△＋△＋△＝58　　①

△＋△＋△＋□＋□＋□＋□＋□＋□＝72　　②

□＝(　　)　　△＝(　　)

【思路导航】58里面有4个□和3个△，72里面有3个△和6个□。比较两个式子的左边可以发现：△的个数相同，②式比①式多2个□。比较两个式子的右边可以知道：②式比①式多72－58＝14，也就是2个□是14，那么1个□就是14÷2＝7。再把□＝7

代入①，可以知道4个□是28，3个△就是58－28＝30，所以1个△＝30÷3＝10。列式如下：

□＝(72－58)÷(6－4)＝7

△＝(58－4×7)÷3＝10

举一反三 2

1. □＋□＋△＋△＋△＋△＝38

△＋△＋△＋△＋△＋△＋△＋□＋□＝53

□＝(　　)　　　△＝(　　)

2. ☆＋△＋△＋△＋△＝70

△＋△＋△＋△＋☆＋☆＋☆＋☆＝100

☆＝(　　)　　　△＝(　　)

3. ○×□＝45　□÷○＝5

○＝(　　)　　　□＝(　　)

○月○日

王牌例题③

下式中，□和△各代表几？

□＋□＋△＝16

□＋△＋△＝14

□＝(　　)　　　△＝(　　)

【思路导航】16里面有2个□、1个△，14里面有1个□、2个△，用16减去14等于2，即□－△＝2。如果把△换成了□，则16需加上2，即□＋□＋□＝16＋2，那么□＝(16＋2)÷3＝6，△＝16－6×2＝4，所以□＝6，△＝4。列式如下：

□＝(16＋2)÷3＝6

△＝16－6×2＝4

举一反三 3

1. □＋□＋○＋○＝38

□＋□＋○＝22

□＝(　　)　　○＝(　　)

2. □＋□＋□＋△＋△＝52

□＋□＋△＋△＋△＝48

□＝(　　)　　△＝(　　)

3. ○＋△＋□＋□＝10

△＋□＋△＋□＝12

△＋○＋□＋○＝12

○＝(　　)　　□＝(　　)　　△＝(　　)

○月○日

王牌例题 4

下式中，□和○各代表几？

□＋□＋○＋○＋○＝34

○＋○＋○＋○＋□＋□＋□＝48

□＝(　　)　○＝(　　)

【思路导航】34 里面有 2 个□、3 个○，48 里面有 3 个□、4 个○，用 48 减去 34 得到□＋○＝14，34 中有 2 个(□＋○)及 1 个○。所以○＝34－14×2＝6，□＝(34－6×3)÷2＝8。

列式如下：

○＝34－14×2＝6

□＝(34－6×3)÷2＝8

举一反三 4

1. ☆＋☆＋△＋△＋△＝24

△＋△＋△＋△＋☆＋☆＋☆＝36

☆＝(　　)　　　△＝(　　)

2. ○＋○＋○＋△＋△＝54

△＋△＋△＋○＋○＋○＋○＝76

○＝(　　)　　　△＝(　　)

3. □＋□＋□＋△＋△＋△＋△＝96

△＋△＋△＋△＋△＋□＋□＋□＋□＝123

□＝(　　)　　　△＝(　　)

○月○日

王牌例题5

下式中，☆、□和△各代表几？

☆＋☆＝□＋□＋□

□＋□＋□＝△＋△＋△＋△

☆＋□＋△＋△＝80

☆＝(　　)　　　□＝(　　)　　　△＝(　　)。

【思路导航】因为2个☆等于3个□、3个□又等于4个△，所以2个☆等于4个△，那么1个☆等于2个△。在☆＋□＋△＋△＝80中，2个△可以用1个☆替代，就变为☆＋□＋☆＝80，而2个☆又可以用3个□替代，也就是□＋□＋□＋□＝80，那么□＝20，☆＝20×3÷2＝30，△＝20×3÷4＝15。

☆＝30　　□＝20　　△＝15

举一反三 5

1. △＋△＝○＋○＋○

   ○＋○＋○＝□＋□＋□

   ○＋□＋△＋△＝100

   ○＝(　　)　　□＝(　　)　　△＝(　　)

2. ○＋○＝□＋□＋□

   □＋□＋□＝△＋△

   △＋□＋○＝40

   △＝(　　)　　□＝(　　)　　○＝(　　)

3. □＋□＝○＋○＋○

   ○＋○＋○＝☆＋☆＋☆＋☆＋☆＋☆＋☆＋☆

   □＋○＋☆＋☆＋☆＋☆＝320

   ○＝(　　)　　□＝(　　)　　☆＝(　　)

第25周 和倍问题

专题简析

已知两个数的和与两个数间的倍数关系，求这两个数分别是多少，像这样的应用题，通常叫做“和倍问题”。要想顺利地解答和倍应用题，必须理解题意，理清数量关系，有时也可以根据题意画出线段图，帮助我们正确列式解答。

解答和倍应用题的关键是要找出两数的和以及与其对应的倍数和，从而先求出1倍数，再求出几倍数。数量关系可以这样表示：

两数和÷(倍数+1)=小数(1倍数)

小数×倍数=大数(几倍数)

两数和-小数=大数

○月○日

王牌例题1

学校将360本图书分给二、三两个年级，已知三年级所分得的本数是二年级的2倍。问二、三两个年级各分得多少本图书？

【思路导航】将二年级所得图书的本数看做1倍数，则三年级所得本数是这样的 2 倍。如图所示：

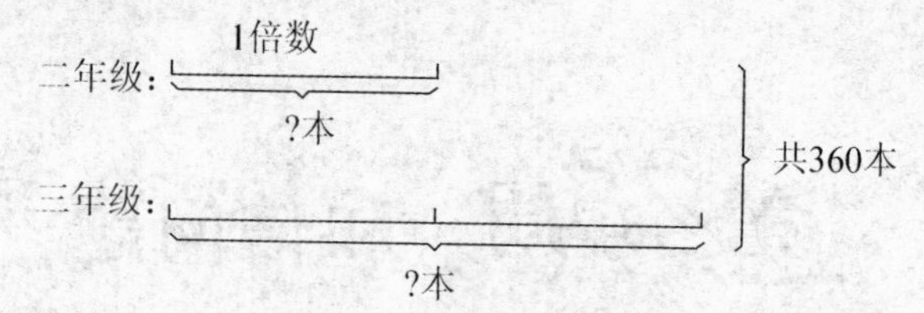

由图可知，二、三年级所得图书本数的和 360 本相当于二年级的(1＋2)倍，则二年级所得图书本数为 360÷(1＋2)＝120 本，所以三年级为 120×2＝240 本。列式如下：

二年级：360÷(1＋2)＝120(本)

三年级：120×2＝240(本)

答：二年级分得图书 120 本，三年级分得图书 240 本。

举一反三 1

1. 小红和小明共有压岁钱 800 元，小红的压岁钱数是小明的 3 倍。小红和小明分别有压岁钱多少元？

2. 学校将 360 本图书分给二、三年级，已知三年级所得本数比二年级的 2 倍还多 60 本。二、三年级各得图书多少本？

3. 甲桶有油 25 千克，乙桶有油 17 千克，从乙桶倒出多少千克油给甲桶后，甲桶油是乙桶油的 5 倍？

○月○日

王牌例题 2

小宁有圆珠笔芯 30 支，小青有圆珠笔芯 15 支，问小青把多少支圆珠笔芯给小宁后，小宁的圆珠笔芯支数是小青的 8 倍？

【思路导航】我们把变化后小青的圆珠笔芯支数看做 1 倍数，那么小宁与小青圆珠笔芯的支数和相当于变化后小青圆珠笔芯支数的 9 倍,所以变化后小青圆珠笔芯的支数为(30+15)÷(1+8)=5 支,再用 15-5=10 支,则表示小青给小宁的圆珠笔芯支数。列式如下:

(30+15)÷(1+8)=5(支)

15-5=10(支)

答:小青给小宁 10 支圆珠笔芯后,小宁的圆珠笔芯支数是小青的 8 倍。

举一反三 2

1. 红红有邮票 80 张,佳佳有邮票 60 张,要使红红的邮票张数是佳佳的 4 倍,那么佳佳必须给红红多少张邮票?

2. 甲水池有水 69 吨,乙水池有水 36 吨,如果甲水池中的水以每分钟 2 吨的速度流入乙水池,那么多少分钟后乙水池的水是甲水池的 2 倍?

3. 甲书架有图书 18 本,乙书架有图书 8 本,班级图书管理员又买来图书 16 本,怎样分配才能使甲书架图书的本数是乙书架图书本数的 2 倍?

○月○日

王牌例题③

商店有红、黄气球共 260 只,如果卖出 20 只红气球后,红气球的只数就是黄气球只数的 2 倍。这两种气球各有多少只?

【思路导航】根据题意,画出线段图:

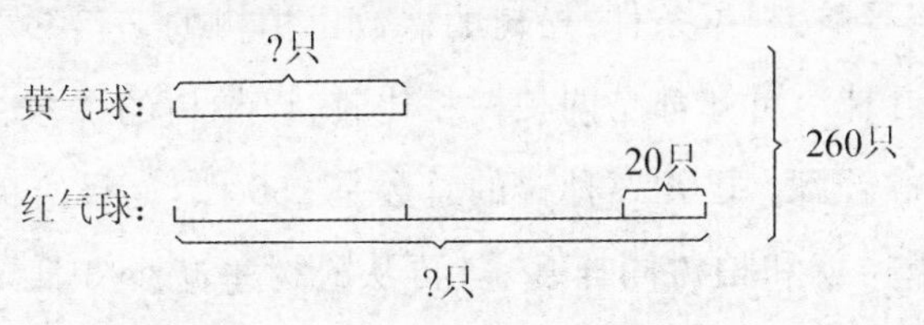

从线段图中可以看出：黄气球的只数为1份数，红气球减少20只后，气球总数就是260－20＝240只。而此时红、黄气球共有2＋1＝3份，那么黄气球的只数是240÷(2＋1)＝80只，红气球有260－80＝180只。列式如下：

(260－20)÷(2＋1)＝80(只)

260－80＝180(只)

答：红气球有180只，黄气球有80只。

举一反三 3

1.学校图书室有故事书和连环画共920本，如果借出20本故事书后，故事书的本数就是连环画的2倍。这两种书各有多少本？

2.饲养场有鸡和鸭共560只，如果卖出120只鸡后，鸡的只数就是鸭的3倍。饲养场有鸡和鸭各多少只？

3.水果店运进苹果和梨共72筐，如果卖出12筐苹果后，苹果的筐数就是梨的4倍。水果店运进苹果和梨各多少筐？

○月○日

王牌例题④

为美化校园，学校买来松树、柏树和樟树共250棵，松树的棵数比柏树的2倍多3棵，樟树比柏树少5棵。求学校买回松树、柏树、樟树各多少棵？

【思路导航】根据条件“松树的棵数比柏树的2倍多3棵，樟树比柏树少5棵”，可知都是同柏树相比较，以柏树的棵数为标准，作为1份数额解答。已知三种树的总数是250棵，如果给樟树增加5棵，那么樟树就和柏树同样多了；再从松树里减少3棵，那么松树的棵数就相当于柏树的 2 倍，而总棵树变为 250＋5－3＝252 棵，相当于柏树的 4 倍。列式如下：

柏树：(250＋5－3)÷(1＋1＋2)＝63(棵)

松树：63×2＋3＝129(棵)

樟树：63－5＝58(棵)

答：学校买回松树 129 棵，柏树 63 棵，樟树 58 棵。

举一反三 4

1. 三筐苹果共 130 个，第二筐苹果的个数是第一筐的 3 倍，第三筐苹果的个数比第一筐的 6 倍多 10 个。问三筐苹果各是多少个？

2. 少先队一、二、三中队共植树 165 棵，二中队植树的棵数比一中队的 2 倍多 5 棵，三中队植树的棵数比一中队的 3 倍少 20 棵。三个中队各植树多少棵？

3. 师徒三人共织布 500 米，已知大徒弟织的布是小徒弟的 2 倍，师傅织的布是大徒弟的 3 倍少 4 米。三人各织了多少米布？

○月○日

王牌例题⑤

被除数与除数的和为 320，商是 7。被除数和除数各是几？

【思路导航】由商是 7 可知，被除数是除数的 7 倍，把除数看做 1 份数，被除数就有这样的 7 份。

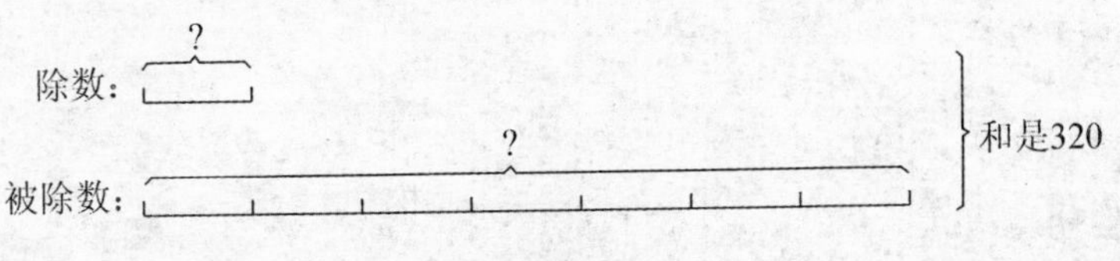

如图所示把除数看做 1 份数，320 就是这样的(7＋1)份，因而我们可以求出 1 份数即除数 $320\div(7+1)=40$，从而根据被除数为这样的 7 份，再求出被除数 $40\times7=280$。列式如下：

$$320\div(7+1)=40 \qquad 40\times7=280$$

答：被除数是 280，除数是 40。

举一反三 5

1. 被除数与除数和为 120，商是 7。被除数和除数各是几？

2. 被除数、除数、商的和为 79，商是 4。被除数、除数各是几？

3. 两个整数相除商是 21，余数为 1，已知被除数、除数、商、余数的和是 441。被除数、除数各是多少？

第26周 差倍问题(一)

专题简析

前面我们已经初步掌握了“和倍问题”的特征和解题方法。如果知道了两个数的差与两个数间的倍数关系,要求两个数各是多少,这一类题我们则把它称为“差倍问题”。小朋友,你们有没有想到用类似解答“和倍问题”的方法来解答“差倍问题”呢?解答“差倍问题”与解答“和倍问题”的方法类似,要先找出差所对应的倍数,求1倍数,再求出几倍数。此外还要充分利用线段图帮助分析数量关系。

用关系式可以这样表示:

两数差÷(倍数-1)=较小的数(1倍数)

较小的数×倍数=较大的数(几倍数)

○月○日

王牌例题1

小明到市场去买水果,他买的苹果个数是梨的个数的3倍,苹果比梨多18个。小明买苹果和梨各几个?

【思路导航】将梨的个数看做1倍数，则苹果的个数是这样的3倍。如下图所示：

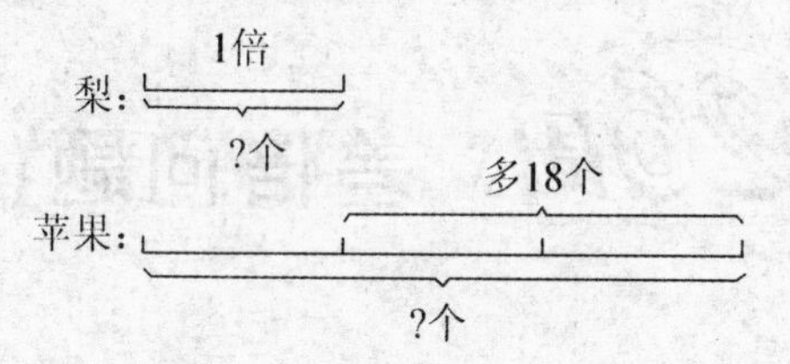

从线段图上可以看出，苹果的个数比梨多了 $3-1=2$ 倍，梨的2倍是18个，所以 $18\div2=9$ 个就求出了梨的个数，再用 $9\times3=27$ 个就求出苹果的个数。列式如下：

梨的个数：$18\div(3-1)=9$（个）

苹果的个数：$9\times3=27$（个）

答：小明买苹果27个，梨9个。

举一反三 1

1. 学校合唱组的女同学人数是男同学人数的4倍，女同学比男同学多42人。合唱组各有男同学、女同学多少人？

2. 一件皮衣价钱是一件羽绒服价钱的5倍，已知一件皮衣比一件羽绒服贵960元。皮衣与羽绒服各多少元？

3. 甲筐苹果的质量是乙筐苹果质量的3倍，如果从甲筐中取出60千克苹果放入乙筐，那么两筐苹果的质量就相等了，原来两筐各有苹果多少千克？

○月○日

王牌例题 2

两个书架所存书的本数相等，如果从第一个书架里取出200

本书，那么第二个书架书的本数是第一个书架书的本数的 3 倍。问两个书架原来各存书多少本？

【思路导航】根据题意，现在第二个书架比第一个书架多 200 本书，两个书架相差(3－1)倍，那么第一个书架现在书的本数就是 200÷(3－1)＝100 本，再加上取出的 200 本，就可以求出第一个书架原来书的本数了，即两个书架原来各有书的本数。列式如下：

200÷(3－1)＋200＝300(本)

答：两个书架原来各存书 300 本。

举一反三 2

1. 两个仓库所存粮食的质量相等，如果从第一个仓库里取出 2400 千克粮食，那么第二个仓库粮食的质量是第一个仓库的 7 倍。问两个仓库原来各存粮食多少千克？

2. 小红和小明铅笔的支数相等，如果奶奶再给小红 16 支铅笔，那么小红铅笔的支数就是小明的 3 倍。原来小红和小明各有铅笔多少支？

3. 商店里有数量相等的英语本和算术本，如果英语本再添 160 本，那么英语本的本数就是算术本的本数的 3 倍。两种本子原来各有多少本？

○月○日

王牌例题 3

文亮小学三(1)班“图书角”书的本数是三(2)班书的本数的 4 倍，如果从三(1)班借 48 本书到三(2)班，则两个班“图书角”书的本数就相等。原来三(1)班、三(2)班“图书角”各有书多少本？

【思路导航】题目中说“如果从三(1)班借 48 本书到三(2)班，则两个班‘图书角’书的本数就一样多”，说明原来三(1)班比三(2)班的图书多 48×2=96 本。把三(2)班“图书角”书的本数看做 1 倍量，三(1)班“图书角”书的本数就是这样的 4 倍，比三(2)班多 3 倍，3 倍是 96 本，1 倍就是 96÷3=32 本，也就是三(2)班“图书角”原来有书 32 本，三(1)班“图书角”原来有书 32×4=128 本。列式如下：

48×2÷(4-1)=32(本)

32×4=128(本)

答：原来三(1)班“图书角”有书 128 本，三(2)班“图书角”有书 32 本。

举一反三 3

1. 甲堆煤的质量是乙堆煤质量的 5 倍，如果从甲堆煤调入 420 吨煤到乙堆，两堆煤的质量正好相等。原来两堆煤各有多少吨？

2. 园博公园的菊花盆数是文峰公园菊花盆数的 8 倍，如果从园博公园搬出 882 盆菊花放入文峰公园，则两个公园菊花的盆数一样多。原来两个公园各有菊花多少盆？

3. 同学们为汶川灾区人民捐款，六(1)班捐款钱数是三(1)班捐款钱数的 3 倍，如果从六(1)班捐款钱数中取出 160 元放入三(1)班，那么六(1)班的捐款钱数还比三(1)班多 40 元。两个班分别捐款多少元？

○月○日

王牌例题 4

被除数比除数大 252，商是 7，被除数、除数各是多少？

【思路导航】根据“商是7”可知道，被除数是除数的7倍，把除数看做1倍数，被除数就是这样的7份。

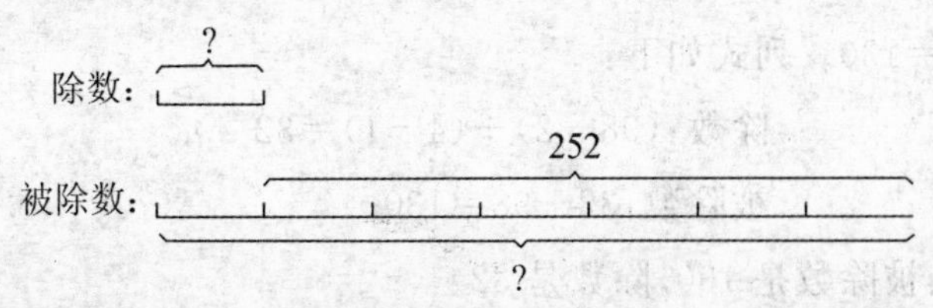

从图上可以看出，被除数比除数大的252正好相当于除数的(7－1)倍，用252÷(7－1)＝42就可得到除数，42＋252＝294就可得到被除数。列式如下：

252÷(7－1)＝42

42＋252＝294

答：被除数是294，除数是42。

举一反三 4

1. 被除数比除数大168，商是22，被除数、除数各是多少？
2. 除数比被除数小212，商是5，被除数、除数各是多少？
3. 被除数比商大144，除数是7，被除数、商各是多少？

○月○日

王牌例题⑤

被除数比除数大98，商是4，余数是2。被除数、除数各是多少？

【思路导航】根据题意，画出线段图：

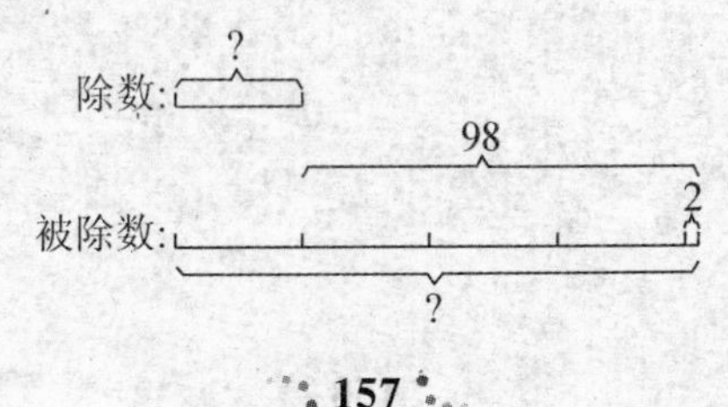

从线段图可以看出，被除数减去余数后就是除数的 4 倍，相差 (4－1)倍，98－2＝96，那除数就是 96÷(4－1)＝32，被除数就是 32＋98＝130。列式如下：

除数：(98－2)÷(4－1)＝32

被除数：32＋98＝130

答：被除数是 130，除数是 32。

举一反三 5

1. 被除数比除数大 192，商是 6，余数是 2。被除数、除数各是多少？

2. 被除数和除数相差 95，商是 5，余数是 3。被除数、除数各是多少？

3. 除数比被除数小 143，商是 3，余数是 1。被除数、除数各是多少？

第27周 差倍问题(二)

专题简析

有些“差倍问题”比较复杂，不能直接利用公式进行解答，这时需要小朋友仔细审题，尤其注意一些隐含条件，同时要借助线段图帮助理解题意，从而找到解题方法。

较复杂的差倍应用题，数量关系比较隐蔽。先依题意画出线段图，数量关系就会比较清晰地展现出来，然后借助线段图找出两个数的差以及差所对应的倍数，再利用公式进行解答。

○月○日

王牌例题①

有两袋玉米，大袋玉米比小袋玉米多 56 千克，如果将小袋的玉米吃掉 4 千克，这时大袋玉米的质量是小袋玉米质量的 4 倍。求两袋玉米原来各重多少千克？

【思路导航】根据题意，画出线段图：

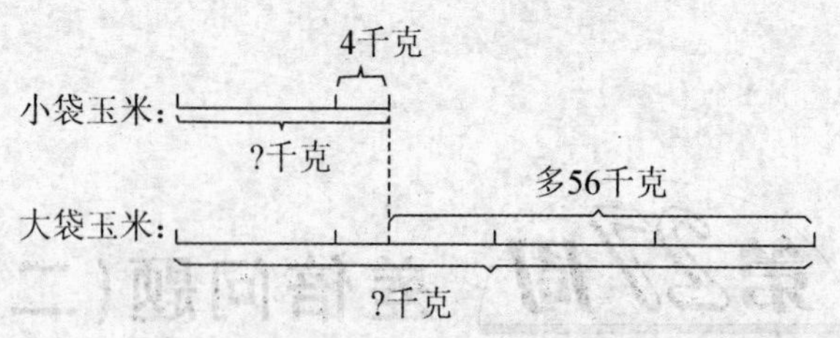

从图上可以看出,小袋玉米吃掉4千克后,大袋玉米就比小袋现有玉米重4+56=60千克;又根据“这时大袋玉米的质量是小袋玉米质量的4倍”,可知把小袋现有玉米的质量看做1倍数,大袋玉米比小袋玉米多的60千克正好相当于现有小袋玉米的4−1=3倍,所以小袋现有玉米重60÷3=20千克,原有质量20+4=24千克,然后再求大袋原有玉米的质量。列式如下:

$$(56+4)\div(4-1)+4=24(\text{千克})$$

$$24+56=80(\text{千克})$$

答:大袋原有玉米80千克,小袋原有玉米24千克。

举一反三 1

1.有两盒玩具,第一盒比第二盒多60个玩具,如果从第二盒中取出3个玩具,这时第一盒玩具的个数是第二盒玩具个数的8倍。求两盒玩具原来各有多少个?

2.一个书架上放着一些书,第二层比第一层多12本书,如果从第一层中拿走6本书,这时第二层书的本数是第一层书的本数的4倍。求第一、二层原来各有多少本书?

3.甲、乙两桶各有油若干千克,甲桶的油比乙桶的油少20千克,如果从甲桶倒出5千克油放入乙桶,这时乙桶内油的质量是甲桶油的质量的4倍。求甲、乙两桶原来各有油多少千克?

王牌例题②

甲的钱数是乙的钱数的3倍，甲买一套180元的《百科大全》、乙买一套30元的《故事大王》后，两个人余下的钱一样多。甲原来有多少钱？

【思路导航】根据题意，画出线段图：

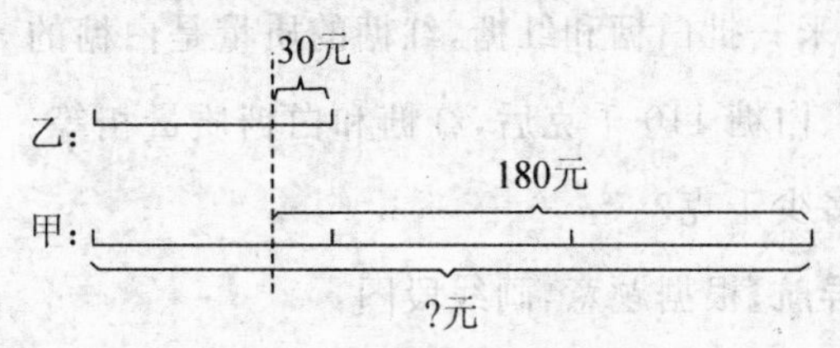

把乙原有的钱看做1份，甲原有的钱就是3份。甲买书用去180元，乙买书用去30元，甲比乙多用去180－30＝150元，从图上可以看出，这多出的150元正好相当于乙原有钱数的3－1＝2倍，用150÷2＝75元便可以求到乙原有的钱数，所以甲原有的钱数为75×3＝225元。列式如下：

(180－30)÷(3－1)＝75(元)

75×3＝225(元)

答：甲原来有225元。

举一反三2

1.甲的钱数是乙的钱数的4倍，甲买了一个30元的书包、乙买了一支6元的钢笔后，两人余下的钱一样多。甲原来有多少钱？

2.丹丹的钱数是小敏钱数的5倍，丹丹买了一套115元的衣服、小敏买了一双15元的鞋子后，两人余下的钱一样多。丹丹原来有多少钱？

3. 云云的钱数是小月钱数的 4 倍，云云买了一套 19 元的水彩笔，小月买了一块 1 元的橡皮后，两人剩的钱一样多。云云原来有多少钱？

○月○日

王牌例题③

商店运来一批白糖和红糖，红糖的质量是白糖的 3 倍，卖出红糖 380 千克、白糖 110 千克后，红糖和白糖质量相等。商店现有红糖、白糖各多少千克？

【思路导航】根据题意，画线段图：

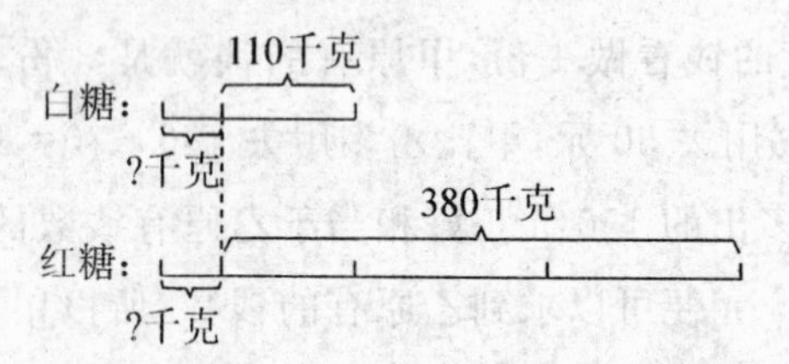

由线段图可知：原来红糖比白糖多 380－110＝270 千克，它是白糖的 3－1＝2 倍，所以白糖原有 270÷2＝135 千克，再用 135 千克减去卖出的 110 千克就是现有的质量。列式如下：

$$(380-110)\div(3-1)=135(\text{千克})$$

$$135-110=25(\text{千克})$$

答：商店现有红糖、白糖各 25 千克。

举一反三 3

1. 甲、乙两个仓库各存一批面粉，甲仓库所存面粉的质量是乙仓库的 3 倍，从甲仓库中运走 720 千克面粉、从乙仓库运走 120 千克面粉后，两个仓库所剩的面粉质量相等。两个仓库现在各有面粉多少千克？

2. 有两筐橘子，第二筐橘子的个数是第一筐的 2 倍，现在第一筐中又放入了 48 个橘子，第二筐中又放入了 18 个橘子，两筐橘子的个数相等。现在两筐各有橘子多少个？

3. 甲、乙两筐苹果质量相等。现在从甲筐拿出 6 千克苹果，给乙筐放进 14 千克苹果以后，乙筐苹果的千克数是甲筐的 3 倍。甲、乙两筐现在各有苹果多少千克？

王牌例题④

某商店算术本的本数是作文本本数的 4 倍，如果再买进 250 本作文本，卖出 50 本算术本，两种本子就同样多了。该商店原来有算术本和作文本各多少本？

【思路导航】根据题意，画出线段图：

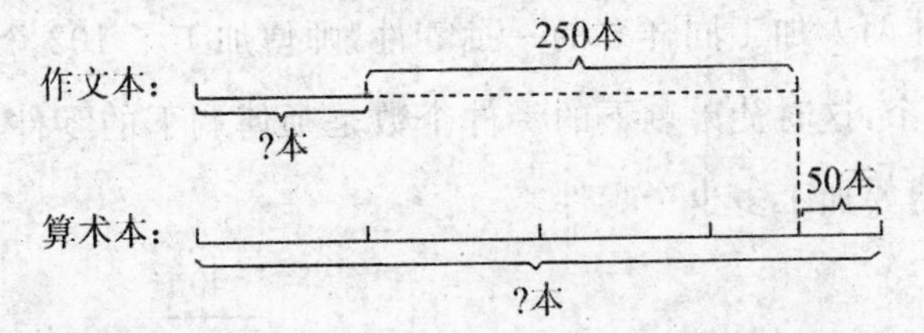

从线段图可以看出：算术本和作文本相差 250＋50＝300 本，算术本比作文本多(4－1)倍，作文本的本数是(250＋50)÷(4－1)＝100 本，再用作文本的本数乘 4 就是算术本的本数。列式如下：

$(250+50)\div(4-1)=100$(本)

$100\times4=400$(本)

答：该商店原来有算术本400本，作文本100本。

举一反三 4

1.食堂运进大米的质量是面粉的3倍，如果吃掉30千克大米，再运进110千克面粉，大米和面粉就同样重了。学校原来运进的大米和面粉各有多少千克？

2.有甲、乙两筐桃子，甲筐的千克数是乙筐的2倍，如果甲筐卖出20千克桃子，乙筐增加36千克桃子，两筐的桃子就同样重了。甲、乙两筐桃子原来各有多少千克？

3.图书室里有一些童话书和科普书，童话书的本数是科普书的5倍，如果童话书借出120本，科普书增加40本，两种书就同样多了。图书室原有童话书和科普书各多少本？

○月○日

王牌例题 5

师徒两人加工同样多的一批零件，师傅加工了102个，徒弟加工了40个，这时徒弟剩下的零件个数是师傅剩下的零件个数的3倍。师傅要加工多少个零件？

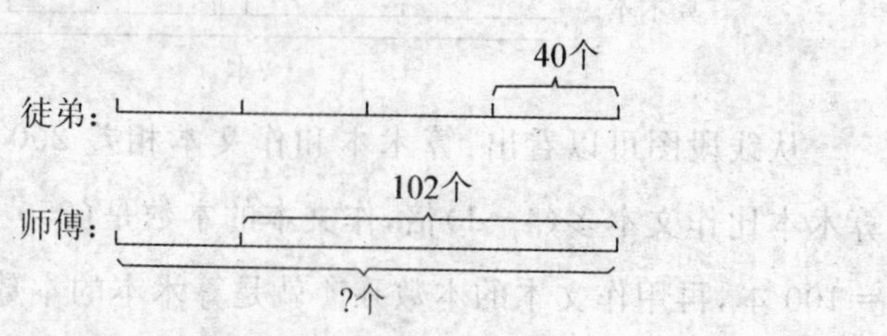

【思路导航】徒弟比师傅少加工了102－40＝62个零件，相当于师傅剩下的零件个数的3－1＝2倍。

$$(102-40)\div(3-1)=31(\text{个})$$

$$31+102=133(\text{个})$$

答:师傅要加工 133 个零件。

举一反三 5

1. 有两根铁丝,第一根长 28 米,第二根长 20 米。两根铁丝用去同样长的一段后,第一根剩下的长度是第二根剩下的长度的 3 倍。两根铁丝各剩下多少米?

2. 两根同样长的电线,第一根用去 46 米,第二根用去 19 米,结果第二根剩下的长度是第一根剩下的长度的 4 倍。原来两根电线各多少米?

3. 两筐质量相等的梨,甲筐取出 18 千克,乙筐取出 6 千克,这时乙筐梨的质量是甲筐梨的质量的 3 倍。两筐原来各有梨多少千克?

第28周 和差问题

专题简析

已知大小两个数的和及它们的差，求这两个数各是多少，这类问题我们称为“和差问题”。掌握了和差问题的特征和规律，我们解答问题就很方便了。

解答“和差问题”通常用假设法，同时结合线段图进行分析。可以假设小数增加到与大数同样多，先求大数，再求小数；也可以假设大数减小到与小数同样多，先求小数，再求大数。用数量关系式表示：

(和＋差)÷2＝大数　　　(和－差)÷2＝小数

○月○日

王牌例题1

期中考试王平和李杨语文成绩的总和是188分，李杨比王平少4分。两人语文各考了多少分？

【思路导航】根据题意画出线段图：

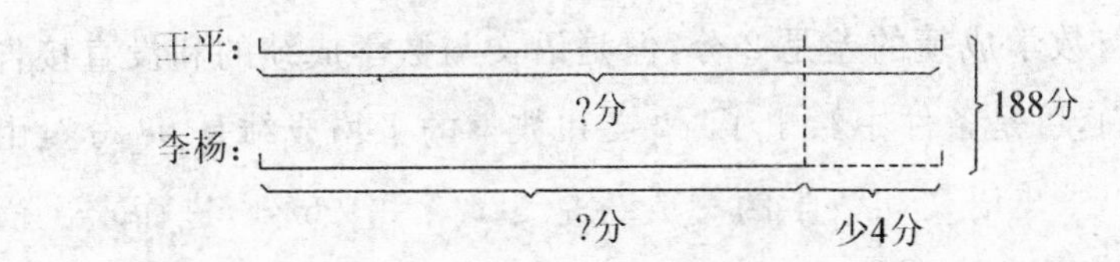

我们可以用假设法来分析。假设李杨的分数和王平的分数一样多，则总分就增加了4分，变为188＋4＝192分，是王平分数的2倍，用192÷2＝96(分)就得到王平的分数，再用188－96＝92分，就得到李杨的分数。列式如下：

王平的分数：(188＋4)÷2＝96(分)

李杨的分数：188－96＝92(分)

答：王平考了96分，李杨考了92分。

举一反三 1

1.两筐水果共重124千克，第一筐水果比第二筐水果重8千克。两筐水果各重多少千克？

2.小宁与小慧身高的总和是264厘米，已知小宁比小慧矮8厘米。两人身高分别是多少厘米？

3.三(1)班和三(2)班共有学生124人，如果从三(2)班调2名学生到三(1)班，两班学生就同样多。三(1)班、三(2)班原来各有学生多少人？

○月○日

王牌例题②

聪聪期末考试时语文和数学的平均成绩是98分，数学比语文多得了2分。聪聪的语文和数学各得了多少分？

【思路导航】解和差问题的关键是求两数的和与差，这道题中语文与数学成绩的差是 2 分，但是语文与数学成绩的和没直接告诉我们，可是条件中给出了“语文和数学的平均成绩是 98 分”，由此可以求出语文和数学的总成绩是 98×2＝196 分，进而求出语文，数学各得了多少分。列式如下：

98×2＝196(分)

(196＋2)÷2＝99(分)

99－2＝97(分)

答：聪聪语文得了 97 分，数学得了 99 分。

举一反三 2

1. 三、四年级平均每个年级有学生 218 人，三年级学生人数比四年级学生人数少 10 人。三、四年级各有学生多少人？

2. 三(1)班男、女生的平均人数是 20 人，其中女生比男生少 4 人。男、女生各有多少人？

3. 小红和小芳 4 分钟共跳绳 688 下，已知小红平均每分钟比小芳少跳 4 下。小红和小芳平均每分钟各跳多少下？

○月○日

王牌例题 3

哥哥和弟弟俩共有邮票 70 张，如果哥哥给弟弟 4 张邮票则哥弟俩邮票同样多。哥哥和弟弟原来各有邮票多少张？

【思路导航】我们可以这样想，哥哥和弟弟俩共有邮票 70 张，根据“如果哥哥给弟弟 4 张，则哥弟俩邮票同样多，”说明原来哥哥比弟弟多 4×2＝8 张邮票，哥弟俩邮票张数的和与差知道了，就可求出原来哥哥和弟弟各有几张邮票。列式如下：

$4\times2=8$(张)

弟弟的邮票张数：$(70-8)\div2=31$(张)

哥哥的邮票张数：$31+8=39$(张)

答：哥哥原来有邮票39张，弟弟原来有邮票31张。

举一反三 3

1. 一个两层书架共放书72本，若从上层书架拿出9本书给下层，则两层书架上的书同样多。上、下层书架各放书多少本？

2. 姐姐和妹妹共有糖果40块，如果姐姐给妹妹7块糖果，则两人的糖果一样多。姐姐和妹妹原来各有糖果多少块？

3. 两笼兔子共16只，若甲笼再放入4只，乙笼取出2只，这时两笼兔子的只数就同样多。求甲、乙两笼原来各有兔子多少只？

○月○日

王牌例题 4

电脑培训班有54人，四月份有一部分人学会了电脑打字，五月份又有8人学会了电脑打字，这样会用电脑打字的人数比不会用电脑打字的人数多30人。四月份学会电脑打字的有多少人？

【思路导航】根据“电脑培训班有54人”和五月份以后“会用电脑打字的人数比不会用电脑打字的多30人”可以求出五月份后会用电脑打字的有$(54+30)\div2=42$人，那么四月份学会电脑打字的有$42-8=34$人。列式如下：

$(54+30)\div2=42$(人)

$42-8=34$(人)

答：四月份会用电脑打字的有34人。

举一反三 4

1. 两筐苹果共重 130 千克，先从甲筐取出 30 千克苹果放入乙筐，又从甲筐取出 20 千克苹果，这时乙筐比甲筐多 50 千克苹果。问两筐原来各有苹果多少千克？

2. 甲、乙两个笔筒共有铅笔 35 支，小兰先从乙筒中拿出 6 支铅笔送给了妹妹，又从甲筒中拿出 8 支铅笔放入乙筒中，这时甲筒比乙筒还多 5 支铅笔。问甲、乙两个笔筒原来各有铅笔多少支？

3. 甲、乙、丙三数，甲、乙的和比丙多 59，乙、丙的和比甲多 49，甲、丙的和比乙多 85。求甲、乙、丙这三个数。

○月○日

王牌例题 5

把一条 100 米长的绳子剪成三段，要求第二段比第一段多 16 米，第三段比第一段少 18 米。三段绳子各长多少米？

【思路导航】用线段图来表示题意：

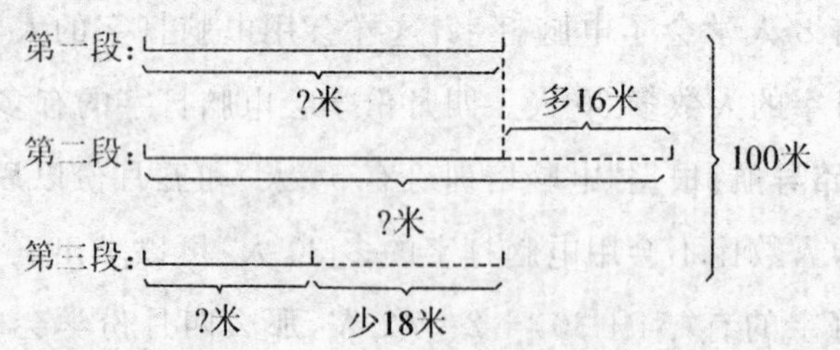

可以这样想，把第一段绳子的长度当做标准，假设第二、第三段绳子都和第一段同样长，那么总长就变为 100－16＋18＝102 米，这样除以 3 就等于第一段绳子的长度，其他绳子的长度也就好求了。列式如下：

第一段:(100－16＋18)÷3＝34(米)

第二段:34＋16＝50(米)

第三段:34－18＝16(米)

答:三段绳子分别长 34 米、50 米、16 米。

举一反三 5

1.某工厂第一、二、三车间共有工人 280 人,第一车间比第二车间多 10 人,第二车间比第三车间多 15 人。三个车间各有工人多少人?

2.某工厂将 857 元奖金分给三名优秀工人,第一名优秀工人比第二名优秀工人多得 250 元,第二名优秀工人比第三名优秀工人多得 125 元。三名优秀工人各得多少元?

3.小明期终考试语文、数学和英语的平均分数是 95 分,数学比语文多得 6 分,英语比语文多得 9 分。求小明三门功课各得多少分?

第29周 年龄问题

专题简析

“年龄问题”可以说是前面所讲的“和差问题”及“差倍问题”的综合。要正确解答这类题，首先要知道：两个不同年龄的人年龄之差始终不变，但两个人年龄的倍数关系却在不断地变化。

年龄问题的主要特征是：大、小年龄差是一个不变的量。我们可以抓住“差不变”这个特点，利用“和差”“差倍”等知识来分析解答这类应用题。

○月○日

王牌例题1

三年前爸爸的年龄是女儿的4倍，爸爸今年43岁，女儿今年几岁？

【思路导航】由题意可知爸爸今年43岁，则三年前爸爸的年龄是43－3＝40岁，40岁时正好是女儿年龄的4倍，女儿三年前的年龄是40÷4＝10岁，今年女儿的年龄是10＋3＝13岁。列式如下：

$$(43-3)\div4+3=13(\text{岁})$$

答:女儿今年13岁。

举一反三 1

1.四年前小林的年龄是小丽年龄的2倍,小林今年12岁,小丽今年是多少岁?

2.五年前爷爷的年龄是孙子年龄的7倍,孙子今年14岁,爷爷今年多少岁?

3.儿子今年10岁,爸爸今年34岁,几年前爸爸的年龄是儿子年龄的4倍?

○月○日

王牌例题②

今年哥哥比小刚大9岁,8年前哥哥的年龄是小刚年龄的4倍。小刚今年几岁?

【思路导航】今年哥哥比小刚大9岁,由于年龄差不变,所以8年前哥哥也比小刚大9岁。8年前哥哥年龄是小刚的4倍,比小刚多了4－1＝3倍,这个3倍就是多的9岁。因此8年前小刚的年龄是9÷3＝3岁,今年小刚的年龄是3＋8＝11岁。列式如下:

9÷(4－1)＋8＝11(岁)

答:今年小刚11岁。

举一反三 2

1.姐姐比妹妹大6岁,4年前姐姐的年龄是妹妹年龄的3倍。姐姐今年多大?

2.今年姐妹两人的年龄和是46岁,5年后姐姐比妹妹大6岁,今年姐姐、妹妹二人各是多少岁?

3. 父亲比儿子大 28 岁，明年父亲的年龄是儿子年龄的 3 倍。今年儿子是几岁？

○月○日

王牌例题3

爸爸 14 年前的年龄和儿子 15 年后的年龄相同，今年父子俩的年龄和为 41 岁。今年爸爸多少岁？

【思路导航】根据题意画出下图：

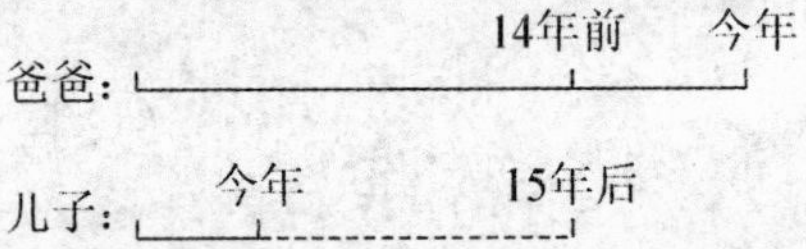

从图中可以看出，儿子比爸爸小 14＋15＝29 岁，这个年龄差是不变的。根据“和差”问题的解法，爸爸今年是(41＋29)÷2＝35 岁。列式如下：

(14＋15＋41)÷2＝35(岁)

答：爸爸今年 35 岁。

举一反三 3

1. 徒弟 18 年后的年龄相当于师傅 10 年前的年龄，师傅 54 岁时徒弟多少岁？

2. 徒弟 18 年后的年龄相当于师傅 10 年前的年龄，当师、徒两人的年龄和是 80 岁时，徒弟多少岁？

3. 妈妈 15 年前的年龄相当于女儿 15 年后的年龄，当妈妈年龄是女儿年龄的 6 倍时，妈妈多少岁？

○月○日

王牌例题④

兄、妹俩今年的年龄和是 40 岁，当哥哥像妹妹现在这样大时，妹妹的年龄恰好是哥哥年龄的一半。哥哥今年几岁？

【思路导航】我们可以借助线段图来思考：根据当"哥哥像妹妹现在这样大时，妹妹的年龄恰好是哥哥年龄的一半"，可作出下图：

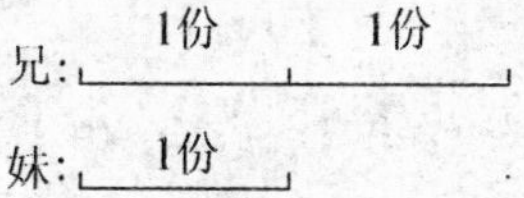

兄：1份 1份

妹：1份

可以看出，如果把妹妹此时的年龄看做 1 份，则哥哥此时的年龄就有这样的 2 份，兄妹的年龄差就是妹妹当时的年龄，这个年龄差是不变的，兄、妹都要加上年龄差才可得到今年的年龄。如图：

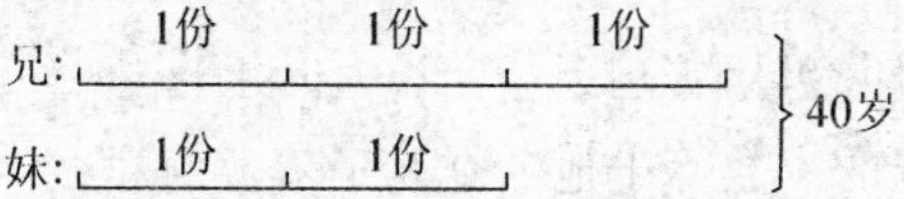

兄：1份 1份 1份

妹：1份 1份

40岁

从图上可看出：兄妹今年的年龄和共有 5 份，对应着两人的年龄和 40 岁，所以每份是 $40\div5=8$ 岁，哥哥今年 $8\times(2+1)=24$ 岁。列式如下：

$40\div(2+1+1+1)\times(2+1)=24$（岁）

答：哥哥今年 24 岁。

举一反三 4

1. 小强与小军的年龄和正好是 25 岁。当小强像小军现在这样大时，小军的年龄正好是小强年龄的一半。小强、小军今年各多少岁？

2. 当师傅的年龄与徒弟今年的年龄相等时，徒弟 18 岁；当徒弟的年龄与师傅今年的年龄相等时，师傅已经 39 岁。今年师、徒两人各多少岁？

3. 哥哥和弟弟两人 5 年后的年龄和是 31 岁。弟弟今年的年龄正好是哥哥与自己年龄的差。问哥哥和弟弟今年各多少岁？

○月○日

王牌例题⑤

爸爸今年 45 岁，他有三个儿子，大儿子 15 岁，二儿子 11 岁，三儿子 7 岁，要过多少年爸爸的岁数等于他三个儿子岁数的和？

【思路导航】三个儿子现在一共是 15＋11＋7＝33 岁，这时他们三人的年龄和比父亲少 45－33＝12 岁，但每过一年三个儿子的年龄和要加 3 岁，而父亲的年龄只加 1 岁，所以要再过 12÷(3－1)＝6 年，爸爸的岁数等于他三个儿子岁数的和。列式如下：

$$[45-(15+11+7)]\div(3-1)=6(\text{年})。$$

答：要过 6 年爸爸的岁数等于他三个儿子岁数的和。

举一反三 5

1. 爷爷今年 80 岁，他有三个孙子，大孙子 30 岁，二孙子 25 岁，小孙子 17 岁，要过几年爷爷的岁数等于他三个孙子的岁数和？

2. 今年姐姐 20 岁，哥哥 18 岁，弟弟 12 岁，妹妹 8 岁，几年后姐姐、哥哥年龄和的 2 倍等于弟弟、妹妹年龄和的 3 倍？

3. 萌萌一家四口人，今年全家年龄和是 73 岁，爸爸比妈妈大 3 岁，萌萌比弟弟大 2 岁，四年前他们全家年龄和为 58 岁。今年萌萌一家四口人各多少岁？

第30周 "还原"解题

专题简析

"一个数加上3,乘3,再减去3,最后除以3,结果还是3,这个数是几呢?"像这样已知一个数的变化过程和最后的结果,求原来的数,这类问题我们通常把它叫做"还原问题"。解答还原问题一般采用倒推法,简单说就是倒过来想。

解答还原问题,我们可以根据题意从结果出发,按它变化的相反方向一步步倒着推想,直到问题解决。同时可利用线段图、表格来帮助我们理解题意。

○月○日

王牌例题1

小芳问爷爷现在多大年纪。爷爷说:"把我的年龄加上25再除以4,减去15后乘10,正好是100岁。"问爷爷现在多少岁?

【思路导航】我们从最后的岁数100岁出发倒着推理。最后是乘10得100,如果不乘10,那应该是100÷10=10岁;如果不减去15,那应该是10+15=25岁;如果不除以4,那应该是25×4=100

岁;如果不加上 25,那应该是 100－25＝75 岁,这就是爷爷现在的年龄。列式如下:

$$(100\div10+15)\times4-25=75(\text{岁})$$

答:爷爷现在 75 岁。

举一反三 1

1. 小明问爷爷今年多大年纪。爷爷说:“把我的年纪加上 18,除以 4,再减去 20,然后用 9 乘,恰好是 27 岁。”问爷爷现在多少岁?

2. 牧童正在草地上放羊,一位旅行者问牧童:“你这群羊有多少只?”牧童回答:“把我的羊的只数除以 6,乘 3,加上 2,再乘 2,正好等于 100。请你算算我有多少只羊?”

3. 四年级的小红与小英正在玩扑克牌游戏。小红手中的牌“J”代表 11、“Q”代表 12、“K”代表 13,小红叫小英任意抽一张牌,把代表这张牌的数字先减去 6、再加上 9、然后除以 3、最后乘 2,小英依次算好后告诉小红最后的得数是 10。请问小英抽到的是哪张牌?

○月○日

王牌例题 2

甲、乙、丙三人各有一些连环画,甲给乙 3 本连环画、乙给丙 5 本连环画后,三个人连环画的本数同样多。乙原来比丙多多少本连环画?

【思路导航】因为乙给丙 5 本连环画后两人的连环画同样多,可知乙比丙多 5×2＝10 本连环画,而这 10 本连环画中又有 3 本连环画是甲给的,所以原来乙比丙多 10－3＝7 本连环画。列式如下：

$5\times2=10$（本）

$10-3=7$（本）

答：乙原来比丙多 7 本连环画。

举一反三 2

1. 小松、小明、小航各有玻璃球若干个。如果小松给小明 10 个玻璃球、小明给小航 6 个玻璃球后，三人玻璃球的个数同样多。小明原来比小航多几个玻璃球？

2. 甲、乙、丙三个组各有一些图书。如果甲组借给乙组 13 本图书后，乙组又送给丙组 6 本图书，这时三个组图书的本数同样多。原来乙组和丙组哪个组的图书多？多几本？

3. 甲、乙、丙三个小朋友各有年历卡若干张。如果甲给乙 13 张年历卡，乙给丙 23 张年历卡，丙给甲 3 张年历卡，那么他们每人各有 30 张年历卡。问原来三人各有年历卡多少张？

○月○日

王牌例题 3

李奶奶卖鸡蛋，她上午卖出鸡蛋总数的一半多 10 个，下午又卖出剩下的鸡蛋的一半多 10 个，最后还剩 65 个鸡蛋没有卖出。李奶奶原来有多少个鸡蛋？

【思路导航】根据题意，画出线段图：

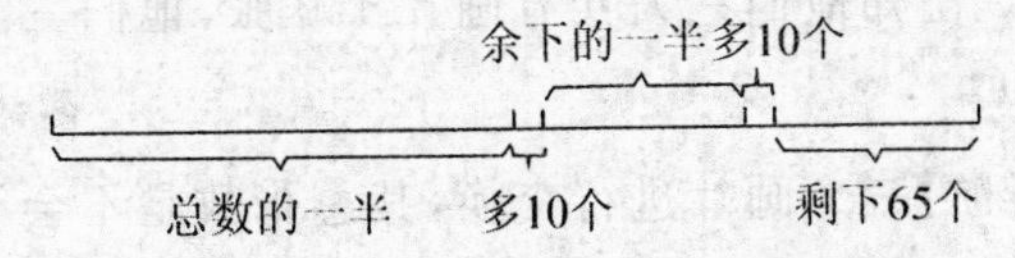

从图上可以看出，最后剩下的 65 个鸡蛋加上 10 个鸡蛋正好

是余下的鸡蛋的一半，余下的鸡蛋的一半为 65＋10＝75 个，那么上午卖出后共剩下鸡蛋 75×2＝150 个，150 个鸡蛋再加上 10 个鸡蛋就是鸡蛋总数的一半，所以鸡蛋总数的一半为 150＋10＝160 个，李奶奶原有 160×2＝320 个鸡蛋。列式如下：

(65＋10)×2＝150(个)

(150＋10)×2＝320(个)

答：李奶奶原来有 320 个鸡蛋。

举一反三 3

1. 竹篮内有若干李子，取它的一半又一个给第一个人，再取余下的一半又两个给第二个人，还剩 6 个李子。竹篮内原有李子多少个？

2. 王叔叔四月份工资若干元，他从工资中拿出一半多 10 元存入银行，又拿出余下的一半多 5 元买米、油，剩下 80 元买菜。王叔叔四月份工资多少元？

3. 妈妈买来一些橘子，小明第一天吃了一半多 2 个，第二次吃了剩下一半少 2 个，还剩下 5 个橘子。妈妈买了多少个橘子？

（ ）月（ ）日

王牌例题④

小红、小青、小宁都喜爱画片。如果小红给小青 11 张画片，小青给小宁 20 张画片，小宁给小红 5 张画片，那么他们三人的画片张数同样多。已知他们三人共有画片 150 张，他们三人原来各有画片多少张？

【思路导航】三人画片进行交换，其总张数是不会改变的。交换以后三人画片的张数相等，那每人应有 150÷3＝50 张。再对照题中条件，把各人的画片还原，便可得到他们三人原来画片的张数。列式如下：

150÷3=50(张)

小红：50+11-5=56(张)

小青：50-11+20=59(张)

小宁：50-20+5=35(张)

答：小红原有画片 56 张，小青原有画片 59 张，小宁原有画片 35 张。

举一反三 4

1. 甲、乙、丙三筐苹果共 90 千克。如果从甲筐取出 15 千克苹果放入乙筐，从乙筐取出 20 千克苹果放入丙筐，从丙筐取出 17 千克苹果放入甲筐，这时三筐苹果就同样重。甲、乙、丙筐原来各有苹果多少千克？

2. 三年级三个班共有学生 156 人。若从三(1)班调 5 人到三(2)班，从三(2)班调 8 人到三(3)班，从三(3)班调 4 人到三(1)班，这时三个班的人数正好相同。三个班原来各有学生多少人？

3. 小林、小方、军军、小敏四个好朋友都爱看书。如果小林给小方 10 本书，小方给军军 12 本书，军军给小敏 20 本书，小敏再给小林 14 本书，这时四个人书的本数同样多。已知他们共有 112 本书，他们四人原来各有多少本书？

○月○日

王牌例题 5

李明、王平两人一起搬运图书 60 本。李明先搬了一些，王平看他搬得太多，就拿走了一半，李明不肯，王平就给了他 10 本，这时李明比王平多4本图书。问李明最初搬了多少本图书？

【思路导航】由条件“两人一起搬运图书60本”和“这时李明比王平多4本”可以求出李明最后搬了(60+4)÷2=32本图书，王平最后搬了60－32=28本图书；然后开始往前推，如果王平不给李明，这时李明有32－10=22本图书，李明最初拿了22×2=44本图书。列式如下：

$$[(60+4)\div2-10]\times2=44(\text{本})$$

答：李明最初搬了44本。

举一反三5

1.现有26块砖，兄弟俩争着搬。弟弟抢着搬了一些，哥哥看弟弟搬得太多，就抢去一半，弟弟不服，哥哥就还给弟弟5块砖，这时两人一样多。问弟弟最初准备搬多少块砖？

2.两棵树上共有麻雀28只，从第一棵树上飞走一半麻雀到第二棵树上，又从第二棵树上飞走3只麻雀到第一棵树上，这时第二棵树上的麻雀比第一棵树上的麻雀多6只。问最初第一棵树上有多少只麻雀？

3.甲、乙两桶水各若干千克。如果从甲桶倒出和乙桶同样多的水放入乙桶，再从乙桶倒出和甲桶同样多的水放入甲桶，这时两桶水恰好都是24千克。问甲、乙两桶原来各有水多少千克？

第31周 “假设”解题

专题简析

“假设”是数学中思考问题的一种常见的方法，有些应用题乍看很难求出答案，但是如果我们合理地进行“假设”，往往会使问题得到解决。所谓“假设法”就是依照已知条件进行推算，根据数量上出现的矛盾作适当调整，从而找到正确答案。我国古代趣题“鸡兔同笼”就是运用“假设法”解决问题的一个范例。

解答“鸡兔同笼”问题的基本关系式是：

兔数＝(总脚数－每只鸡脚数×鸡兔总数)÷(每只兔脚数－每只鸡脚数)

鸡数＝鸡兔总数－兔数

用假设法解答类似“鸡兔同笼”的问题时，可以根据题意假设几个量相同，然后进行推算，所得结果与题中对应的数量不符时，要能够正确地运用别的量加以调整，从而找到正确的答案。

○月○日

王牌例题1

鸡、兔共30只，共有脚84只，鸡、兔各有多少只？

【思路导航】鸡、兔共30只，共有脚84只。如果假设30只全部是鸡，一只鸡2只脚，那么30只鸡脚的只数是$2\times30=60$只。又已知脚有84只，比假设的30只鸡的脚多$84-60=24$只，多的24只脚是因为每只兔有4只脚，它比鸡多2只脚，一只兔多2只脚，24只脚就有$24\div2=12$只兔，鸡就有$30-12=18$只。列式如下：

兔的只数：$(84-30\times2)\div(4-2)=12$(只)

鸡的只数：$30-12=18$(只)

也可先假设30只全部是兔，一只兔4只脚，那么30只兔脚的只数是$4\times30=120$只，又已知共有脚84只，比假设的30只兔脚的只数少$120-84=36$只，少36只脚是因为每只鸡只有2只脚，比兔少2只脚，一只鸡少2只脚，36只脚就有$36\div2=18$只鸡，兔就有$30-18=12$只。列式如下：

鸡的只数：$(4\times30-84)\div(4-2)=18$(只)

兔的只数：$30-18=12$(只)

答：鸡有18只，兔有12只。

举一反三1

1.鸡、兔共100只，共有脚280只。鸡、兔各多少只？

2.鸡、兔共50只，共有脚160只。鸡、兔各几只？

3.阿奇的储蓄罐里有5角和1元的硬币共25枚，总钱数为19元。这两种硬币各有多少枚？

○月○日

王牌例题②

鸡、兔同笼，鸡比兔多 30 只，一共有脚 168 只。鸡、兔各多少只？

【思路导航】因为鸡比兔多 30 只，则可以把 30 只鸡的脚从总脚数中去掉，剩下的鸡、兔就同样多了。每一只鸡和兔共 $4+2=6$ 只脚，用 6 只脚除剩下的鸡、兔的脚的只数，就可求出兔的只数：$(168-2\times30)\div6=18$ 只，再求出鸡为 $18+30=48$ 只。列式如下：

兔的只数：$(168-2\times30)\div(4+2)=18$(只)

鸡的只数：$18+30=48$(只)

答：兔有 18 只，鸡有 48 只。

举一反三 2

1. 鸡、兔同笼，鸡比兔多 25 只，一共有脚 170 只。鸡、兔各多少只？

2. 买甲、乙两种戏票，甲种票每张 4 元，乙种票每张 3 元，乙种票比甲种票多买了 9 张，一共用去 97 元。两种票各买了几张？

3. 鸡、兔共有脚 48 只，如果将鸡的只数与兔的只数互换则共有脚 42 只。鸡、兔各几只？

○月○日

王牌例题③

某学校举行数学竞赛，每做对一题得 9 分，做错一题倒扣 3 分，共有 12 道题。王刚得了 84 分，王刚做错了几道题(不能不做)？

【思路导航】这类题实质与鸡、兔同笼同类，还用假设法进行思考。若全做对的话，应得 $9\times12=108$ 分，现在少了 $108-84=24$ 分。为什么会少 24 分，因为做错一题，不但得不到 9 分，反而需要倒扣 3 分，一共少了 12 分，那就错了 $24\div12=2$ 道题。列式如下：

$$(9\times12-84)\div(9+3)=2(\text{道})$$

答：王刚做错了 2 道题。

举一反三 3

1. 某小学进行英语竞赛，每答对一道题得 10 分，答错一道题倒扣 2 分，共 15 道题，小华得了 102 分。小华答对几道题（不能不做）？

2. 运输衬衫 400 箱，规定每箱运费 30 元。若损失一箱不但不给运费还要赔偿 100 元，运后运费为 8880 元。损失了几箱？

3. 某车间生产一批服装共 250 件，生产一件可得 25 元，如果有一件服装不符合要求则倒扣 20 元，生产完这批服装后得到费用 5350 元。有几件服装不符合要求？

○月○日

王牌例题 4

水果糖的块数是巧克力糖的 3 倍。如果小红每天吃 2 块水果糖、1 块巧克力糖，若干天后水果糖还剩下 7 块，巧克力糖正好吃完。原来水果糖有几块？

【思路导航】水果糖的块数是巧克力糖块数的 3 倍，如果小红每天吃 1 块巧克力糖、3 块水果糖，那若干天后两种糖正好同时吃完。现在小红每天吃 2 块水果糖，少吃 $3-2=1$ 块水果糖，结果若干天后水果糖还剩下 7 块。用 $7\div1=7$ 天可求到吃的天数，用 $2\times$

7+7=21块,可以求到原来水果糖的块数。列式如下:

$$7\div(1\times3-2)=7(天)$$

$$2\times7+7=21(块)$$

答:原来水果糖有21块。

举一反三 4

1. 小英家有些梨和苹果,苹果的个数是梨的3倍。爸爸和小英每天各吃1个苹果,妈妈每天吃1个梨,若干天后苹果还剩9个,而梨恰巧吃完。原来苹果有多少个?

2. 某商店有若干个红气球和黄气球,红气球的个数是黄气球的4倍。每天卖出2个红气球和1个黄气球,若干天后红气球剩下12个,黄气球刚好卖完。红气球原来有多少个?

3. 四(3)班有彩色粉笔和白粉笔若干盒,白粉笔是彩色粉笔的7倍。每天用去2盒白粉笔和1盒彩色粉笔,当彩色粉笔全部用完时,白粉笔还剩10盒。原来白粉笔有多少盒?

○月○日

王牌例题 5

晨新小学的教师和学生共100人去植树,教师每人植3棵树,学生平均每3人植一棵树,一共植了100棵树。问教师和学生共有多少人?

【思路导航】假设100人都是教师,则可以植3×100=300棵树,比实际多植了300−100=200棵树。这多出的200棵树是因为把其中的学生换成了教师。现在换回去,每次用3个学生换成3个教师,植树的棵数就增加3×3−1=8棵,这多出的200棵需要换200÷8=25次,所以换成教师的学生数是25×3=75人,也就是共有学生 75 人，教师的人数是 100－75＝25 人。列式如下：

$$(3\times100-100)\div(3\times3-1)\times3=75(\text{人})$$

$$100-75=25(\text{人})$$

答：教师有 25 人，学生有 75 人。

举一反三 5

1. 中秋晚会上四(2)班 43 人一起吃月饼，男生每人吃 2 个，女生每 2 人合吃 1 个，一共吃了 56 个月饼。求四(2)班男、女生各多少人？

2. 幼儿园分橘子，大班每人分 2 个，小班每 2 人分 1 个，大、小班 180 人共分了 240 个橘子。求大班、小班各多少人？

3. 超市里水果糖每千克卖 20 元，奶糖每千克卖 25 元，巧克力糖每千克卖 30 元。某天这三种糖一共卖了 20 千克，总收入 480 元。已知奶糖和巧克力糖总共卖了 300 元，请问其中奶糖卖了多少千克？

第32周 平均数问题(一)

专题简析

在日常生活中,我们会遇到下面的问题:有几个杯子,里面的水有多有少,为了使每个杯中水一样多,就将水多的杯子里的水倒进水少的杯子里,反复几次,直到几个杯子里的水一样多。这就是我们所讲的"移多补少",通常称之为"平均数问题。"

解答平均数问题关键是要求出总数量和总份数,然后再根据"总数量÷总份数=平均数"这个数量关系式来解答。

○月○日

王牌例题1

用4个同样的杯子装水,水面的高度分别是8厘米、5厘米、4厘米、3厘米。这4个杯子里水面的平均高度是多少厘米?

【思路导航】根据已知条件,先求出4个杯子里水的总厘米数,再用总厘米数除以杯子的个数就可以求出平均每个杯子里水的高度。列式如下:

$(8+5+4+3)\div 4$

$=20\div 4$

$=5$(厘米)

这道题还可以这样想：先取其中最少的3厘米为基数，再把每个杯子中多于3厘米的数相加除以4，再把算得的结果与3厘米相加，同样得到平均数5厘米。列式如下：

$3+(5+2+1)\div 4=5$(厘米)

答：这4个杯子里水面的平均高度是5厘米。

举一反三 1

1. 小华期末测试语文、数学、英语成绩分别是92分、96分、94分。这三门功课的平均成绩是多少分？

2. 某工厂有四个车间，每个车间分别有工人260人、300人、280人、312人。平均每个车间有工人多少人？

3. 甲筐有梨32千克，乙筐有梨38千克，丙、丁筐共有梨50千克。平均每筐有梨多少千克？

○月○日

王牌例题 2

幼儿园小朋友做红花，小华做了7朵，小方做了9朵，小林和小宁合做了12朵。平均每个小朋友做红花多少朵？

【思路导航】根据已知条件，先求出做花的总朵数，再用花的总朵数除以小朋友的总人数就可求出平均每个小朋友做花的朵数。列式如下：

$(7+9+12)\div 4$

$=28\div 4$

$=7$(朵)

答:平均每个小朋友做红花7朵。

举一反三 2

1. 一个书架上第一层放书52本,第二层和第三层共放书70本,第四层放书46本。这个书架平均每层放书多少本?

2. 某工厂第一、二车间共有工人180人,第三车间有工人103人,第四车间有工人81人。平均每个车间有工人多少人?

3. 商店有蓝气球和红气球共43只,黄气球和绿气球的总数比蓝气球和红气球的总数少10只。平均每种颜色的气球有多少只?

○月○日

王牌例题③

植树小组植一批树,3天完成。前2天共植113棵树,第3天植了55棵树。植树小组平均每天植树多少棵?

【思路导航】要求植树小组平均每天植树的棵数,必须知道植树的总棵树和植树的天数。植树的总棵数用前2天植的113棵加上第3天植的55棵:$113+55=168$棵;植树天数为3天。所以植树小组平均每天植树$168\div3=56$棵。列式如下:

$(113+55)\div3=56$(棵)

答:植树小组平均每天植树56棵。

举一反三 3

1. 小佳期中考试语文、数学总分为197分,外语考了91分。小佳三门功课的平均成绩为多少分?

2. 小红、小青的平均身高是103厘米,小军的身高是115厘米。这三个人的平均身高是多少厘米？

3.小明读一本故事书，前4天每天读25页，后3天一共读了110页。小明平均每天读多少页？

○月○日

王牌例题④

一辆摩托车从甲地开往乙地，前2小时每小时行驶60千米，后3小时每小时行驶70千米。平均每小时行驶多少千米？

【思路导航】根据已知条件，先求这辆摩托车行驶的总路程：$60\times2+70\times3=330$千米；再求行驶的总时间：$2+3=5$时；最后求出平均每小时行驶的千米数。列式如下：

$$(60\times2+70\times3)\div(2+3)$$

$$=330\div5$$

$$=66(千米)$$

答：平均每小时行驶66千米。

举一反三 4

1.某校学生为饲养场割草，第一组7人，平均每人割草13千克，第二组5人，平均每人割草25千克。两组学生平均每人割草多少千克？

2.一小组同学量身高，其中2人都是124厘米，另外4人都是130厘米。这组同学平均身高是多少厘米？

3.一辆汽车从甲地开往乙地，每小时行60千米，8小时到达。然后按原路返回，7小时回到甲地。这辆汽车往返一次的平均速度是多少？

王牌例题⑤

数学测试中，一组学生中最高分为98分，最低分为86分，其余5名学生的平均分为92分。这一组学生的平均分是多少分？

【思路导航】要求平均分，应用总分数÷总人数＝平均分，依题意，总分数为98＋86＋92×5＝644分，总人数为1＋1＋5＝7人，用总分数644分除以总人数7人，求出平均分为92分。列式如下：

$$(98+86+92\times5)\div(1+1+5)=92(\text{分})$$

答：这一组学生的平均分是92分。

举一反三 5

1. 一组同学进行立定跳远比赛，最远的同学跳了152厘米，最近的同学跳了144厘米，其余的6名同学都跳了148厘米。这一组同学平均跳了多少厘米？

2. 一组同学测量身高，最高的同学身高是150厘米，最矮的同学身高是136厘米，其余4名同学的身高都是143厘米。这组同学的平均身高是多少厘米？

3. 音乐考试中，一组同学中有2人得了最高分90分，1人得了最低分70分，其余5名同学都得了78分。这组同学平均成绩是多少分？

第33周 平均数问题(二)

专题简析

前面我们已向小朋友们介绍了用基本数量关系式来求平均数的方法了，如果题目中没有直接告诉我们总数量以及总份数，那又该怎么办呢？这类题可以拓宽同学们的解题思路，从而提高解题的能力。

解答平均数问题的关键是要找准问题与条件、条件与条件之间相对应的关系，通常要先确定“总数量”以及与“总数量”相对应的“总份数”，再求平均数。

○月○日

王牌例题1

华华3次数学测验的平均成绩是89分，4次数学测验的平均成绩是90分。华华第4次测验的成绩是多少分？

【思路导航】根据3次数学测验的平均成绩是89分，可求出3次测验的总成绩是89×3=267分；根据4次数学测验的平均成绩是90分，可求出4次测验的总成绩是90×4=360分；最后求出第4次成绩是360－267=93分。列式如下：

$$90\times4-89\times3=93(\text{分})$$

我们也可以这样想:4 次测验的平均成绩比 3 次测验的平均成绩多了 90－89＝1 分,4 次共多出了 1×4＝4 分,那么第 4 次测验的成绩是 89＋4＝93 分。列式如下:

$$89+(90-89)\times4=93(\text{分})$$

答:第 4 次测验成绩是 93 分。

举一反三 1

1.有甲、乙、丙、丁四个采茶小队。甲、乙、丙三个小队平均每队采茶 20 千克,甲、乙、丙、丁四个小队平均每队采茶 22 千克。丁队采茶多少千克?

2.期中考试中,王英的语文、数学的平均成绩是 92 分,加上外语后三门功课的平均成绩是 93 分。外语得了多少分?

3.明明、红红两人的平均体重是 32 千克,加上英英的体重后他们的平均体重就增加了 1 千克。英英重多少千克?

○月○日

王牌例题②

宁宁期中考试语文、数学、科学的平均分是 91 分,外语成绩公布后,他的平均分提高了 2 分。宁宁外语考了多少分?

【思路导航】宁宁语文、数学、科学的平均分是 91 分,可以求出这三门功课的总分为 91×3＝273 分;外语成绩公布后四门功课的平均分为 91＋2＝93 分,总分为 93×4＝372 分,所以外语考了 372－273＝99 分。列式如下:

$$(91+2)\times4=372(\text{分})$$

$$372-91\times3=99(\text{分})$$

这道题也可以这样想:外语成绩公布后,宁宁的平均分提高了2分,也就是说他的外语成绩比其他三门功课的平均成绩多了四个2分,即$2\times4=8$分,那么外语成绩就是$91+8=99$分。列式如下:

$$91+2\times4=99(\text{分})$$

答:宁宁外语考了99分。

举一反三 2

1.小英4次数学测验的平均成绩是92分,5次数学测验的平均成绩比4次数学测验的平均成绩提高了1分。小英第5次数学测验得了多少分?

2.小王、小张、小刘三人体育测试的平均成绩是82分,加上小顾后他们四人的平均成绩就提高了4分。小顾体育测试的分数是多少?

3.一个同学读一本书,共10天读完,平均每天读8页。前6天他平均每天读6页,后4天这个同学平均每天读多少页?

○月○日

王牌例题 3

有7个数的平均数是8,如果把其中的1个数改为1,这时7个数的平均数是7。这个被改动的数原来是几?

【思路导航】改动前7个数的平均数为8,这7个数总和是8×

7=56,改动后这 7 个数的平均数为 7,这时这 7 个数总和为 7×7=49,改动前后总和相差了 56－49=7,这说明原数比 1 多了 7,因而原数为 1＋7=8。列式如下:

1＋(8×7－7×7)=8

也可以这样想:改动前 7 个数的平均数为 8,改动后这 7 个数的平均数变为 7,下降了 1,比原来少了 1×7=7,那么这个被改动的数原来是 1＋7=8。列式如下:

1＋1×7=8

答:这个被改动的数原来是 8。

举一反三 3

1.有 5 个数的平均数是 5,如果把其中 1 个数改为 2,这 5 个数的平均数为 4。这个被改动的数原来是几?

2.期中考试中小明 4 门功课的平均分为 94 分,由于老师批改的错误,其中有 1 门功课的成绩被错改为 87 分,这时 4 门功课的平均分是 92 分。这门被错改的功课成绩原来是多少分?

3.有 3 个数的平均数是 3,如果把其中 1 个数改为 10,那么这 3 个数的平均数是 5。这个被改动的数原来是多少?

○月○日

王牌例题④

有 4 个数,这 4 个数的平均数是 21,其中前 2 个数的平均数是 15,后 3 个数的平均数是 26。第 2 个数是多少?

【思路导航】根据“4 个数的平均数是 21”,可以得出 4 个数的总数就是 21×4＝84，又根据“前 2 个数的平均数是 15，后 3 个数的平均数是 26”，可以得出它们的总数为 15×2＋26×3＝108，其中第 2 个数被重复算了一次，所以总数就多出了 108－84＝24，这多出的 24 就是第 2 个数。列式如下：

$$15\times2+26\times3-21\times4$$
$$=30+78-84$$
$$=24$$

答：第 2 个数是 24。

举一反三 4

1. 有 4 个数，它们的平均数是 34，其中前 3 个数的平均数是 30，后 2 个数的平均数是 36。第 3 个数是多少？

2. 有 4 个数，平均数是 100，前 2 个数的平均数是 95，后 3 个数的平均数是 98。第 2 个数是多少？

3. 小林语文、数学、英语、社会四门功课测试的平均成绩是 89 分，前三门功课的平均成绩为 92 分，后两门功课的平均成绩为 88 分。小林的英语测试成绩是多少分？

○月○日

王牌例题⑤

甲、乙两地相距 30 千米。爸爸骑自行车从甲地到乙地每小时行 15 千米，从乙地到甲地每小时行 10 千米。求爸爸往返于甲、乙两地平均速度。

【思路导航】求爸爸往返的平均速度，必须知道总路程和总时间。总路程是两个全程，即 30×2＝60 千米；总时间是去的时间与返回的时间的和，即 30÷15＋30÷10＝5 时。列式如下：

$$
\begin{aligned}
&30\times2\div(30\div15+30\div10)\\
=&60\div5\\
=&12(\text{千米/时})
\end{aligned}
$$

答：爸爸往返于甲、乙两地的平均速度是每小时 12 千米。

举一反三 5

1. 摩托车驾驶员以每小时 20 千米的速度行了 60 千米，返回时的速度是每小时行 30 千米。往返全程的平均速度是每小时多少千米？

2. 一辆汽车以每小时 20 千米的速度上坡，行了 120 千米，然后用每小时 30 千米的速度返回。求这辆汽车全程的平均速度。

3. 某生产小组两天的工作任务都是生产 300 个零件。第一天以每小时生产 30 个的速度完成了任务，第二天以每小时生产 60 个的速度完成了任务。这两天这个生产小组平均每小时生产多少个零件？

第34周 简单推理(二)

专题简析

小文比小林高,小林比小佳高,那我们可以推断,小文一定比小佳高。这也是一种推理,与前面推理题不同的是,这种推理解答时不需要或很少用到计算,而要求我们根据题目中给出的已知条件,通过分析和判断,得出正确合理的结论。

做推理题时,要根据已知条件认真分析,为了找到突破口,有时先假设一个结论是正确的,然后验证它是不是符合所给的一切条件,若没有矛盾,说明推理正确,否则再换个结论来验证。

○月○日

王牌例题1

红红、聪聪和颖颖都戴着太阳帽去郊游,她们戴的帽子一个是红色的、一个是黄色的、一个是蓝色的。只知道红红没有戴黄色帽子,聪聪既不戴黄色帽子,也不戴蓝色帽子。请你判断红红、聪聪和颖颖分别戴的是什么颜色的帽子?

【思路导航】已知条件中“聪聪既不戴黄色帽子，也不戴蓝色帽子”是个关键条件，因为3个人戴的帽子只有红、黄、蓝三种颜色，因此排除黄、蓝两种颜色，聪聪只能戴红色帽子。又根据“红红没戴黄色帽子”可知红红戴蓝色帽子，颖颖只能戴黄色帽子。

答：红红戴蓝色帽子，聪聪戴红色帽子，颖颖戴黄色帽子。

举一反三 1

1. 芳芳、婷婷和彦彦三个同学比高矮。芳芳说：“我比婷婷高。”婷婷说：“我比彦彦矮。”彦彦说：“我不是最高的。”请你判断谁最高？谁最矮？

2. 黄颖、李红和马娜都穿着新衣服，她们穿的衣服一个是花的、一个是粉红的、一个是蓝的，已知黄颖穿的不是花衣服，李红既不穿蓝衣服，又不穿花衣服。她们分别穿的是什么颜色的衣服？

3. 某班学生中，有红色铅笔的人就没有黄色铅笔，没有红色铅笔的人有蓝色铅笔。那有黄色铅笔的人一定有蓝色铅笔吗？

○月○日

王牌例题 2

一个正方体有六个面，每个面分别涂有红、绿、黄、白、蓝、黑六种颜色，你能根据下图中这个正方体的三种不同的摆法，判断出这个正方体每一种颜色的对面是什么颜色吗？

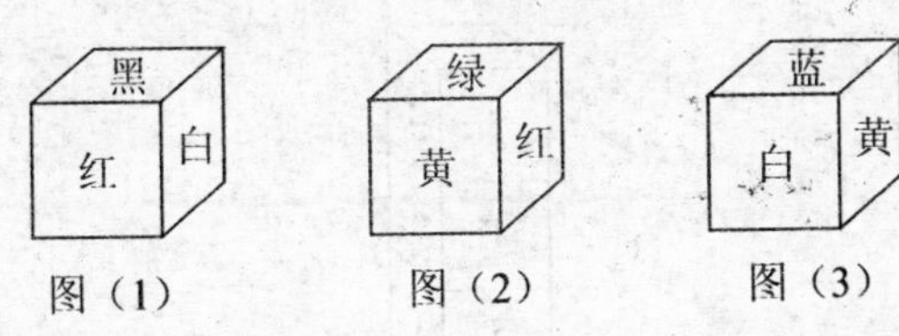

图（1）　　图（2）　　图（3）

【思路导航】如果直接思考某种颜色对面是什么颜色比较困难，可以换一种思维方式，想想某种颜色对面不应该对应哪种颜色。

从图(1)中可看出红色的对面肯定不是黑色和白色;从图(2)中可看出红色对面肯定不是黄色和绿色,所以红色的对面是蓝色。从图(2)中可看出黄色对面肯定不是绿色和红色;从图(3)中可以看出黄色对面肯定不是蓝色和白色,所以黄色对面是黑色。剩下的白色的对面肯定是绿色。

答:红色对面是蓝色,黄色对面是黑色,白色对面是绿色。

举一反三 2

1. 有一个正方体,每个面上分别写着 1,2,3,4,5,6。有三个人从不同的角度观察,结果如下图:

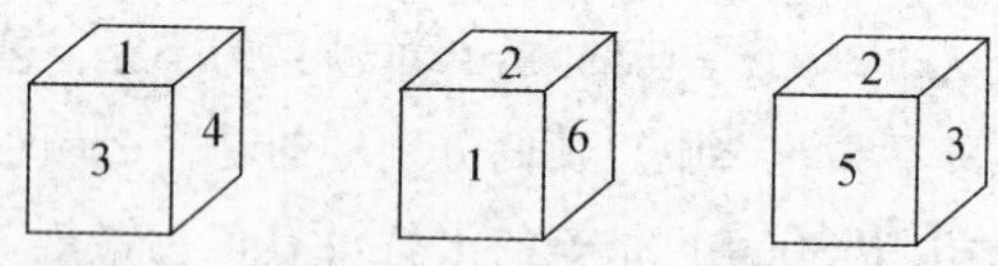

这个正方体上每个数字对面是什么数字?

2. 一个正方体,每个面上分别画有△、○、□、☆、▱、⬡,根据下图中它的三种不同的摆法,判断这个正方体每种图形对面是什么图形?

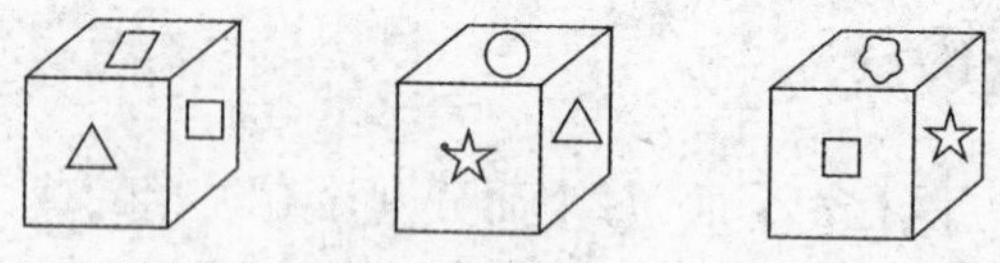

3. 把一个正方体的六个面分别编上 1～6 这六个数字,现在用这样的四个小正方体拼成一个长方体,相对两个面分别是几和几?

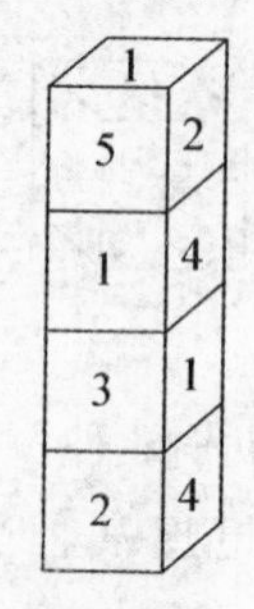

〇月〇日

王牌例题③

小明妈妈的笔记本电脑的开机密码是个六位数，只知道这个密码的开头和结尾的数字分别是6和7，并且知道这六位数密码每相邻的三个数字之和是16。你能破译这个密码吗？

【思路导航】因为每相邻的三个数的和是16，所以密码的第二、三位之和应是16－6＝10，那么第四位数字是16－10＝6，与第一位相同，而第六位数字是7，由此可得出第五位数字是16－6－7＝3，进而可以推理出第三位数字是7，第二位数字是3。所以这个密码是637637。

举一反三 3

1.李老师家的电话号码是一个八位数，第一位数字和最后一位数字分别是8和0，并且相邻三个数字的和是10。你知道李老师家的电话号码是多少吗？

2.有一个密码锁的密码是一个六位数，第一位数字和第四位数字都是6，第二位数字比第三位数字大1，并且每相邻的四位数字之和是21。这个密码锁的密码是多少？

3.某商品的编号是一个七位数，已知这个编号中的7个数字的和是22，而且任意相邻的两个数字总是左边大右边小。这个商品的编号是多少？

〇月〇日

王牌例题④

王帆、李昊、吴一凡三人中，有一人看了《地球奥秘》这部影片。

当老师问他们三人谁看了这部影片时，王帆说："李昊看了。"李昊说："我没有看。"吴一凡说："我没有看。"如果知道他们三人中有两人说了假话，有一人说的是真话，你能判断谁看了这部影片吗？

【思路导航】我们可以这样想：假设是王帆看了这部影片，那么王帆说的是假话，李昊和吴一凡说的是真话，这样与三人中有两人说了假话，一人说真话的条件不符，因而王帆没看这部影片。假设是李昊看了这部影片，那么王帆和吴一凡说了真话，李昊说了假话，这与两人说了假话，一人说了真话不符，因而李昊没看这部影片。假设吴一凡看了这部影片，那么王帆和吴一凡说了假话，只有李昊一人说了真话，因而我们可以断定是吴一凡看了这部影片。

答：吴一凡看了这部影片。

举一反三 4

1. 王峰、朱红、王艺三人中，有一人打碎了玻璃。当老师问谁打碎了玻璃时，王峰说："是朱红打碎的。"朱红说："我没打碎。"王艺说："我没打碎。"他们三人中有两人说了假话，有一人说的是真话。你能判断是谁打碎了玻璃吗？

2. 小张、小王、小李三人参加宴会，他们分别喝了一杯酒、两杯酒、三杯酒。当小吴问他们各喝了几杯酒时，小张说："我喝了两杯酒"。小李说："我喝得最多。"小王说："我喝的杯数不是偶数"。他们三人中只有一人讲得不对，他们各喝了几杯酒？

3. 运动场上，三(1)、三(2)、三(3)、三(4)四个班正在进行接力赛，对于比赛胜负，在一旁的张明、王浩、李哲进行猜测。张明说："我看三(1)班只能得第三名，冠军肯定是三(3)班。"王浩说："三(3)班只能得第二名，至于第三名，我看是三(2)班。"李哲说："肯定三(4)班得第二名，三(1)班得第一名。"而真正的结果，他们每人的预测只猜对了一半。请你根据他们的猜测推出比赛结果。

〇月〇日

王牌例题⑤

徐老师、周老师和黄老师三位老师，其中一位教语文，一位教数学，一位教英语。已知：

(1)徐老师比教英语的老师年龄大；

(2)周老师和教英语的老师是邻居；

(3)教数学的老师经常和周老师在一起打球。

问三位老师各教什么课？

【思路导航】我们可画出一张空白表，用"√"表示是，用"×"表示不是：

	语文	数学	英语
徐老师			
周老师			
黄老师			

根据(1)徐老师比教英语的老师年龄大，(2)周老师和教英语的老师是邻居，我们可以判断：

	语文	数学	英语
徐老师			×
周老师			×
黄老师	×	×	√

再根据(3)教数学的老师经常和周老师在一起打球，可以得到：

	语文	数学	英语
徐老师	×	√	×
周老师	√	×	×
黄老师	×	×	√

所以得到结果：徐老师教数学，周老师教语文，黄老师教英语。

答：徐老师教数学，周老师教语文，黄老师教英语。

举一反三 5

1.小王、小李、小徐三人中，一位是教师，一位是工人，一位是工程师。现在知道：

(1)小徐比工人年龄大；

(2)小王和教师不同岁；

(3)教师比小李年龄小。

请问小王、小李、小徐各自做什么工作？

2.刘艺、王天、张明三个男孩都有一个妹妹，六个人在一起打羽毛球，举行男女混合双打，事先规定：兄妹俩不可搭伴，第一盘由刘艺和小红对张明和小英，第二盘由张明和小平对王天和刘艺的妹妹。小红、小英、小平各是谁的妹妹？

3.甲、乙、丙三位老师分别教语文、数学、英语课。

(1)甲上课全用汉语；

(2)英语老师是一位学生的哥哥；

(3)丙是一位女教师，她比数学老师活泼。

请问三位老师各教什么课？

第35周 巧求周长(一)

专题简析

一个图形的周长是指围成它的所有线段的长度和，我们已经学会了求长方形、正方形这些标准图形的周长，那么怎样运用长方形、正方形的周长计算公式，巧妙地求一些复杂图形的周长呢？

对于一些不规则的比较复杂的几何图形，要求它们的周长，我们可以运用平移的方法，把它转化为标准的长方形或正方形，然后再利用长方形、正方形的周长公式进行计算。

将一个大长方形或正方形分割成若干个长方形和正方形，那么分割后的图形的周长就会增加几个长或宽；反之，将若干个小长方形或正方形合成一个大长方形或正方形，合成后的图形的周长就会减少几个长或宽。

○月○日

王牌例题1

有两个相同的长方形，长 7 厘米，宽 5 厘米，把它们按下图的样子重叠在一起，这个图形的周长是多少厘米？

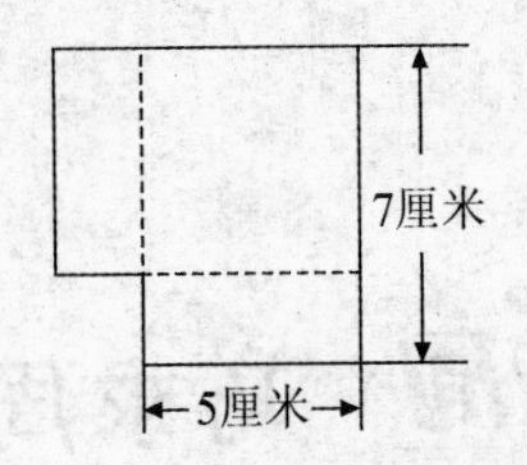

【思路导航】这是一个不规则的图形，我们可以利用平移线段的方法，将这个图形的周长转化成规则图形的周长来解决(如下图所示)，原来长方形的长就是转化后正方形的边长，要求原来图形的周长，只要求得边长是 7 厘米的正方形的周长就可以了。列式如下：

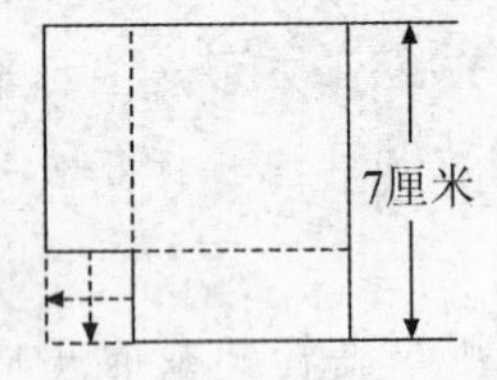

$7\times4=28$(厘米)

答：这个图形的周长是 28 厘米。

举一反三 1

1. 下图是一个楼梯的侧面，如果在阶梯上铺地毯，要计算地毯的长度，可以怎样测量？

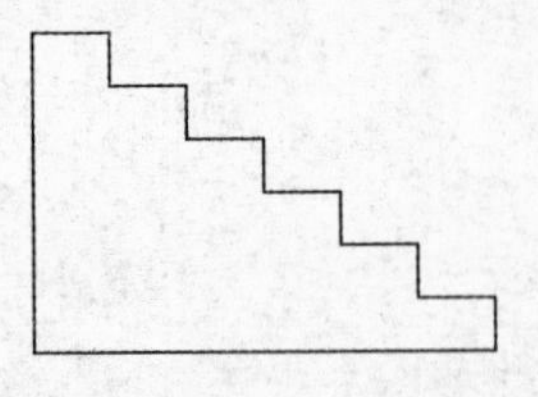

2. 如下图所示，小明和小玲同时从学校走到少儿书店，小明沿 A 路线行走，小玲沿 B 路线行走，他们俩一共走了多少米？

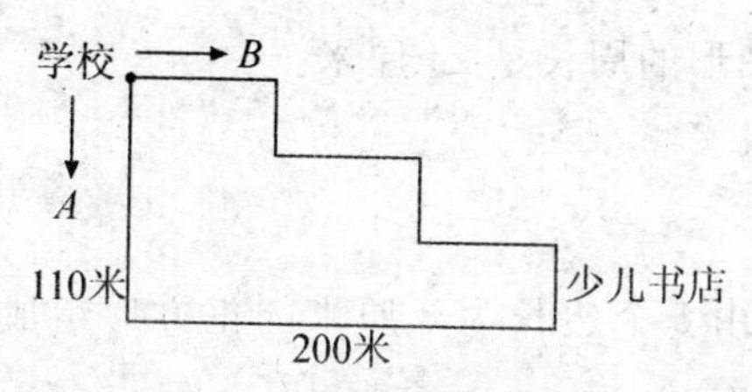

3. 下图是由 6 个面积为 1 平方厘米的小正方形拼成的图形，它的周长是多少厘米？

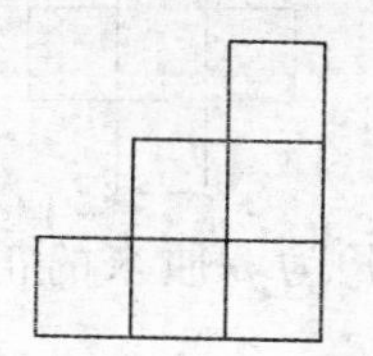

○月○日

王牌例题②

下图是由 6 个边长为 2 厘米的正方形拼成的图形。这个图形的周长是多少厘米？

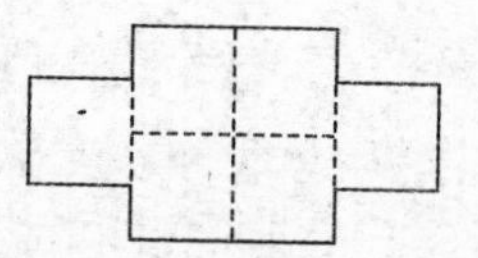

【思路导航】我们可以用平移的方法将上图转化为一个长方形。如下图所示：

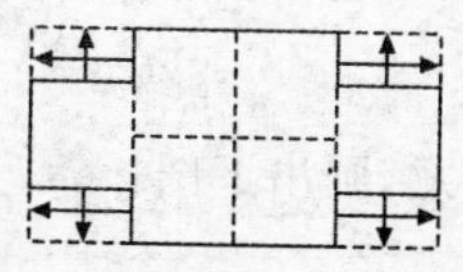

这个长方形的长含有 4 个小正方形的边长，长为 $2\times4=8$ 厘米，宽含有 2 个小正方形的边长，宽为 $2\times2=4$ 厘米，所以这个图形的周长为 $(8+4)\times2=24$ 厘米。列式如下：

$$(2\times4+2\times2)\times2=24(\text{厘米})$$

答:这个图形的周长是 24 厘米。

举一反三 2

1.下图是由 5 个边长为 3 厘米的正方形组成的图形,求此图形的周长。

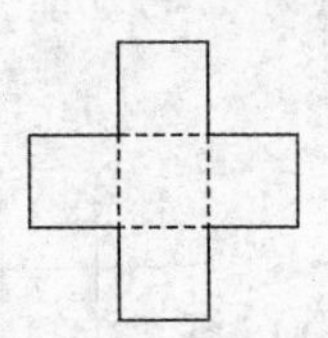

2.下图是由 6 个边长为 2 厘米的正方形组成的图形,求此图形的周长。

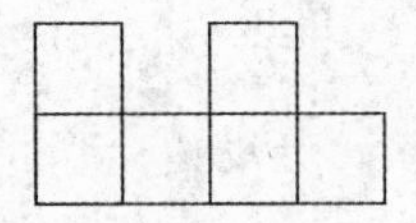

3.用 24 个边长为 1 厘米的正方形拼成一个长方形,这个长方形的周长是多少厘米?

○月○日

王牌例题③

两个大小相同的正方形拼成一个长方形后,周长比原来两个正方形周长的和减少了 6 厘米。原来一个正方形的周长是多少厘米?

【思路导航】根据题意,画出下图:

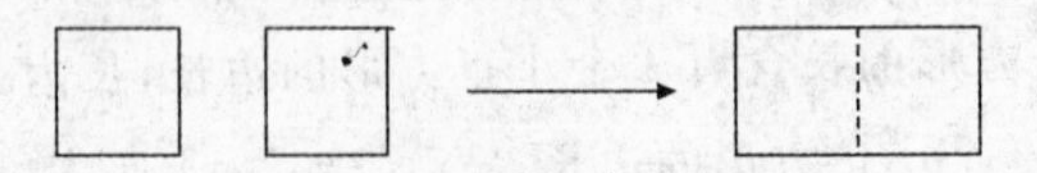

当两个正方形拼成一个长方形时,组成两个正方形的 8 条边就减少了两条,而已知这两条边的和是 6 厘米,那么一条边长就是

6÷2=3 厘米,所以原来正方形的周长是 3×4=12 厘米。

$$6 \div (4 \times 2 - 6) \times 4 = 12(\text{厘米})$$

答:原来一个正方形的周长是 12 厘米。

举一反三 3

1. 把两个大小相同的正方形拼成一个长方形后,这个长方形的周长比原来两个正方形周长的和减少了 10 厘米,原来一个正方形的周长是多少厘米?

2. 把一个正方形剪成两个大小相同的长方形后,两个长方形周长的和比原来正方形的周长增加 28 分米,原来正方形的周长是多少分米?

3. 把边长是 48 厘米的正方形剪成三个同样大小的长方形。每个长方形的周长是多少厘米?

○月○日

王牌例题④

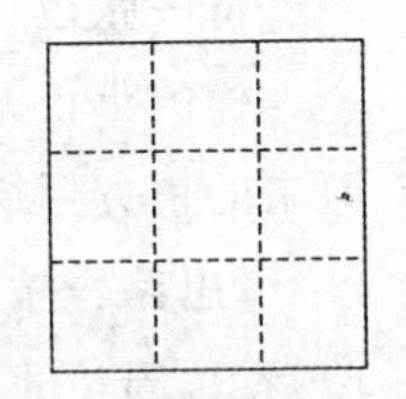

一个正方形,边长是 5 厘米,将 9 个这样的正方形如右图所示拼成一个大正方形,问拼成的这个大正方形的周长是多少厘米?

【思路导航】从图上可以看出,9 个小正方形拼成的大正方形共有 3 排,每排由 3 个小正方形组成。已知小正方形的边长是 5 厘米,所以大正方形的边长就为 5×3=15 厘米,大正方形的周长就为 15×4=60 厘米。列式如下:

$$5 \times 3 \times 4 = 60(\text{厘米})$$

答:拼成的大正方形的周长是 60 厘米。

举一反三 4

1. 把 16 个边长为 3 厘米的小正方形拼成一个大正方形。这个拼成的大正方形周长是多少厘米？

2. 把 6 个边长为 4 厘米的小正方形如下图拼成一个长方形。这个长方形的周长为多少厘米？

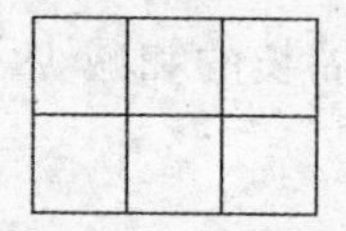

3. 把 6 个长为 3 厘米、宽为 2 厘米的小长方形如下图拼成一个大长方形。这个大长方形的周长是多少厘米？

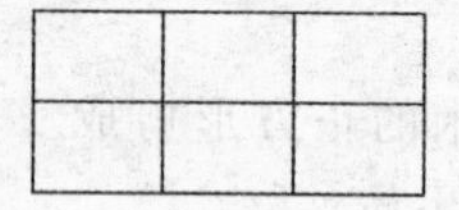

○月○日

王牌例题 5

将一张边长为 36 厘米的正方形纸片，剪成 4 个完全一样的小正方形纸片，问这 4 个小正方形周长的和比原来的正方形周长增加了多少厘米？

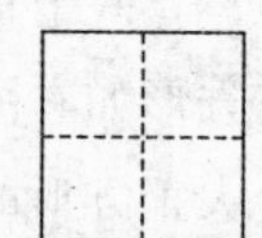

【思路导航】将边长 36 厘米的正方形，沿竖直方向剪一刀，周长的和就比原来大正方形周长增加 2 个边长；再沿水平方向剪一刀，周长的和又增加 2 个边长，一共增加(2×2)个边长。所以这 4 个小正方形周长的和比原来的正方形周长增加了 36×4＝144 厘米。列式如下：

$$36\times(2\times2)=144(\text{厘米})$$

答：这 4 个小正方形周长的和比原来的正方形周长增加了 144 厘米。

举一反三 5

1.将一张边长为12厘米的正方形纸，剪成4个完全一样的小正方形，那么这4个小正方形周长之和比原来的大正方形的周长增加了多少厘米？

2.把一个边长为20厘米的正方形，如下图剪成6个完全一样的小长方形，这6个小长方形周长的和与原来的正方形的周长相比增加了多少厘米？

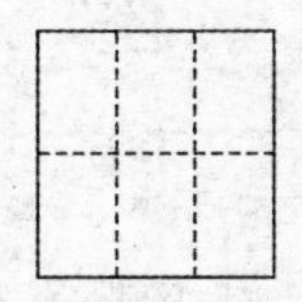

3.将一个长为8分米、宽为6分米的长方形如下图剪成6个完全一样的小长方形，这6个小长方形周长之和比原来长方形的周长增加了多少分米？

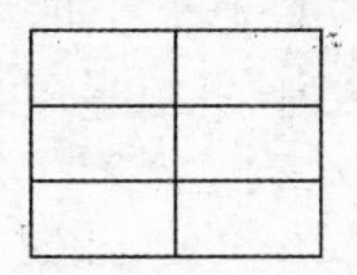

第36周 巧求周长(二)

专题简析

在解答比较复杂的关于长方形、正方形的周长计算问题时,生搬硬套公式往往行不通,这时灵活地运用所学的知识在解题中显得相当的重要。

解答稍复杂的有关长方形、正方形周长的问题,先要仔细观察、认真思考,想想已知条件和要求问题之间有什么联系,应该先求什么,再求什么,然后灵活运用长方形、正方形的周长公式进行计算。

○月○日

王牌例题1

把长130厘米的铁丝围成一个长方形,接头处重合2厘米,要使长比宽多18厘米,这个长方形的长和宽各是多少厘米?

【思路导航】把长130厘米的铁丝围成一个长方形,去掉接头处重合的2厘米,可知围成的长方形的周长为130－2＝128厘米。因为长方形的周长＝(长＋宽)×2,所以长与宽的和为128÷2＝64厘米,又因为题目中还告诉长和宽的差为18厘米,因此这道题可以转化为和差应用题来解。列式如下：

$$130-2=128(厘米)$$

$$128\div 2=64(厘米)$$

长：$(64+18)\div 2=41$(厘米)

宽：$64-41=23$(厘米)

答：这个长方形的长为41厘米、宽为23厘米。

举一反三1

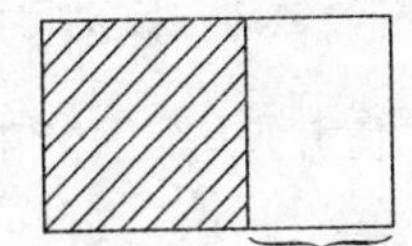

1.如右图所示，已知大长方形的周长为38厘米，阴影部分为正方形。求小长方形的周长。

2.小华家给长方形的院子装上了篱笆墙，由于门宽2米，所以篱笆墙共长16米，而这个长方形的宽是长的一半。这个长方形的长和宽各多少米？

3.一个周长为20厘米的正方形，从中间剪开成为两个大小相等的长方形，这两个长方形的周长共多少厘米？

○月○日

王牌例题2

一根铁丝长80厘米，用它围成一个边长为8厘米的正方形，余下的铁丝围成一个长为14厘米的长方形，这个长方形的宽是多少厘米？

【思路导航】要求长方形的宽是多少，必须先求出这个长方形的周长是多少，也就是这根铁丝余下的长度。

(1)正方形的周长：$8\times 4=32$(厘米)

(2)长方形的周长：$80-32=48$(厘米)

(3)长方形的宽：$48\div 2-14=10$(厘米)

列式如下：

$$(80-8\times4)\div2-14=10(厘米)$$

答:这个长方形的宽是 10 厘米。

举一反三 2

1 一根铁丝长 100 厘米,用它围成一个边长为 10 厘米的正方形,余下的铁丝围成一个长为 20 厘米的长方形。这个长方形宽是多少厘米?

2. 一根绳子长 78 厘米,用它围成一个长 12 厘米、宽 9 厘米的长方形,余下的围成一个正方形。这个正方形边长是多少厘米?

3. 用一根铁丝围成一个边长为 7 厘米的正方形,余下的正好围成一个长为 12 厘米、宽为 10 厘米的长方形。这根铁丝长多少厘米?

○月○日

王牌例题③

一个长方形的周长是正方形周长的 2 倍,正方形的边长与长方形的宽都为 4 厘米。长方形的长是多少厘米?

【思路导航】根据长方形的周长是正方形周长的 2 倍,我们就应先求出正方形的周长,然后根据它们之间的关系,求出长方形的周长,再求出长方形的长。

(1)正方形的周长:$4\times4=16$(厘米)

(2)长方形的周长:$16\times2=32$(厘米)

(3)长方形的长:$32\div2-4=12$(厘米)

列式如下：

$$4\times4\times2\div2-4=12(厘米)$$

答:长方形的长是 12 厘米。

举一反三 3

1. 一个长方形的周长是正方形周长的 4 倍,正方形的边长与长方形的宽都为 6 厘米。长方形长多少厘米?

2. 一个长方形的周长是正方形周长的 2 倍,正方形的边长与长方形的宽都为 10 厘米。长方形的长是多少厘米?

3. 一张长方形纸,长 28 厘米,宽 15 厘米,从这个长方形纸中剪下一个最大的正方形后,余下的长方形纸周长是多少厘米?

○月○日

王牌例题 4

如右图所示,三个同样大小的长方形正好拼成一个正方形,正方形的周长是 48 厘米。求每个长方形的周长。

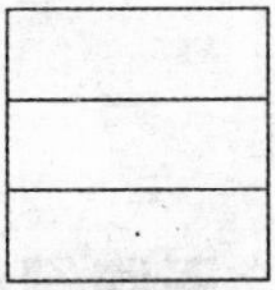

【思路导航】要求每个长方形的周长必须先求出每个长方形的长和宽,长方形的长正好是正方形的边长,宽是把正方形的边长平均分成 3 份,其中的 1 份。根据正方形的周长是 48 厘米,可求出它的边长为 $48 \div 4 = 12$ 厘米也就是长方形的长,长方形的宽是 $12 \div 3 = 4$ 厘米,那么长方形的周长是 $(12+4) \times 2 = 32$ 厘米。列式如下:

$$(48 \div 4 + 48 \div 4 \div 3) \times 2 = 32(\text{厘米})$$

答:每个长方形的周长是 32 厘米。

举一反三 4

1. 四个同样大小的长方形正好拼成一个正方形,这个正方形的周长为 64 厘米，长方形的周长是多少厘米？

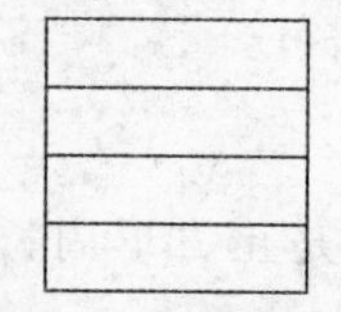

2. 六个同样大小的长方形正好拼成一个如下图所示的正方形，正方形的周长为 48 厘米，每个长方形周长是多少厘米？

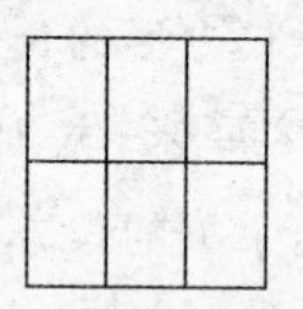

3. 明明用三个同样大小的长方形拼成了一个大长方形。已知大长方形的周长是 60 厘米，长是宽的 4 倍，求小长方形的周长。

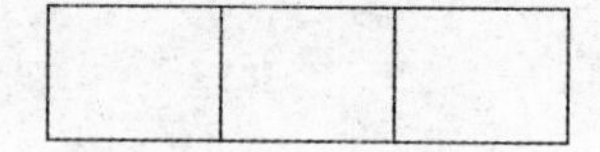

○月○日

王牌例题⑤

学校的操场是个长方形，长 90 米，宽 60 米。现在要对这个操场进行扩建，使得它的长增加 30 米，宽增加 20 米。扩建后操场的周长比原来增加了多少米？

【思路导航】要求扩建后操场的周长比原来增加了多少，我们可以分别求出原来操场的周长和扩建后操场的周长，然后相减求得扩建后增加的周长。

这道题我们还可以这样思考：长方形的周长是两长两宽的和，长方形的长增加 30 米，宽增加 20 米，则长方形的周长就增加 2 个 (30＋20)米，就是 100 米。列式如下：

(90＋30)×2＋(60＋20)×2＝400(米)

$(90+60)\times2=300$(米)

$400-300=100$(米)　或

$(30+20)\times2=100$(米)

答:扩建后操场的周长比原来增加了100米。

举一反三5

1.一个长方形,它的长减少5厘米,宽增加5厘米,周长会怎样变化?

2.周大爷在一块长6米、宽4米的长方形菜地四周围上了篱笆。现在把这块菜地进行了改造,使得它的长增加了2米,宽增加了1米,改造后重新在四周围上篱笆。需要增加篱笆多少米?

3.一个长方形长55厘米、宽28厘米,现在它的长减少10厘米,宽增加8厘米,这个长方形的周长发生了怎样的变化?增加或减少了多少厘米?

第37周 面积计算

专题简析

我们已经学会了计算长方形、正方形的面积，知道长方形的面积=长×宽，正方形的面积=边长×边长。利用这些知识我们能解决许多有关面积的问题。

在解答比较复杂的关于长方形、正方形面积计算的问题时，生搬硬套公式往往不能奏效，可以利用添加辅助线或运用割补、转化等解题技巧。因此敏锐的观察力和灵活的思维在解题中十分重要。

○月○日

王牌例题①

把一张长为4米、宽为3米的长方形木板，锯成一个面积最大的正方形，这个正方形木板的面积是多少平方米？

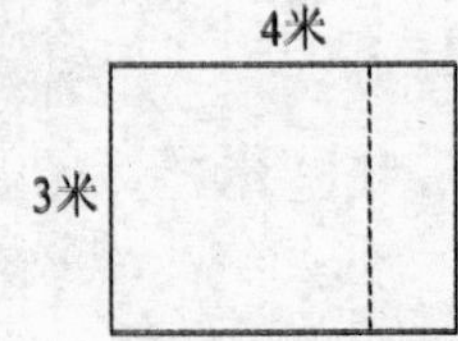

【思路导航】要使锯成的正方形木板面积最大，就要使它的边长最长，那么只能用原来的长方形宽为边长，即正方形的边长是3米。列式如下：

$$3\times3=9(\text{平方米})$$

答:这个正方形木板的面积是9平方米。

举一反三 1

1.把一张长6厘米、宽4厘米的长方形纸剪成一个面积最大的正方形纸,这张正方形纸的面积是多少平方厘米?

2.把一块长12分米、宽6分米的长方形铁板切割成一个面积最大的正方形,这个正方形铁板的面积是多少平方分米?

3.将一块长3米、宽2米的长方形布剪成一块面积最大的正方形布,剩下部分的面积是多少平方米?

○月○日

王牌例题②

学校里有一个正方形花坛,花坛的四周种了一圈绿篱,绿篱总长20米。求花坛的面积是多少平方米?

【思路导航】要求正方形花坛的面积,必须知道正方形花坛的边长是多少。根据绿篱总长是20米,可求出花坛的边长为$20\div4=5$米,所以花坛的面积是$5\times5=25$平方米。列式如下:

$$(20\div4)\times(20\div4)=25(\text{平方米})$$

答:花坛的面积是25平方米。

举一反三 2

1.一个正方形的周长为36厘米,那么这个正方形的面积是多少平方厘米?

2.运动中心里有一个正方形的游泳池，在游泳池四周贴上瓷砖，四周瓷砖总长 400 米，求游泳池的面积是多少平方米？

3.公园里有一个长方形花圃和一个正方形花圃，这两个花圃的周长相等，其中长方形花圃长 40 米、宽 20 米，求正方形花圃的面积。

○月○日

王牌例题③

求下面图形的面积。(单位：厘米)

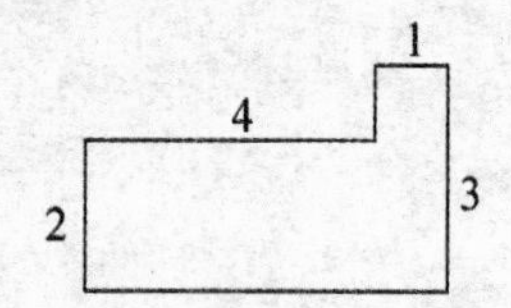

【思路导航】这个图形无法直接求出它的面积，我们可以画一条辅助线，将这个图形分割成两个长方形。如下图所示：

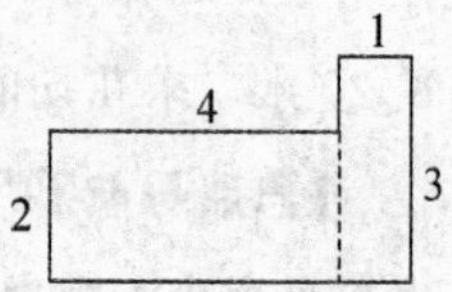

从右图中可以看出，左边长方形的长为 4 厘米、宽为 2 厘米，面积为 $4\times2=8$ 平方厘米；右边长方形的长为 3 厘米、宽为 1 厘米，面积为 $3\times1=3$ 平方厘米，再将两个长方形面积相加便可得整个图形的面积。列式如下：

$$4\times2+3\times1=11(\text{平方厘米})$$

答：这个图形的面积为 11 平方厘米。

想一想，这道题还可以怎样画辅助线分割后求面积呢？

举一反三 3

计算下列图形的面积。(单位:厘米)

1.

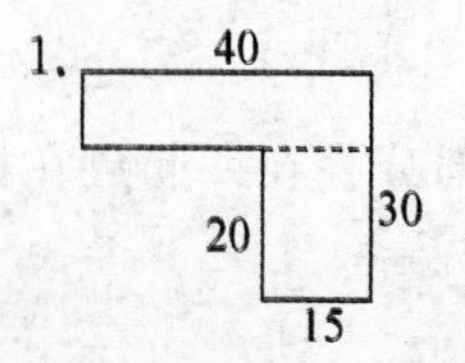

2.

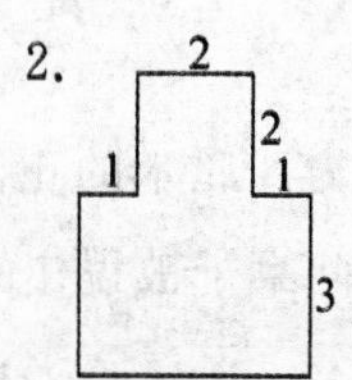

3.

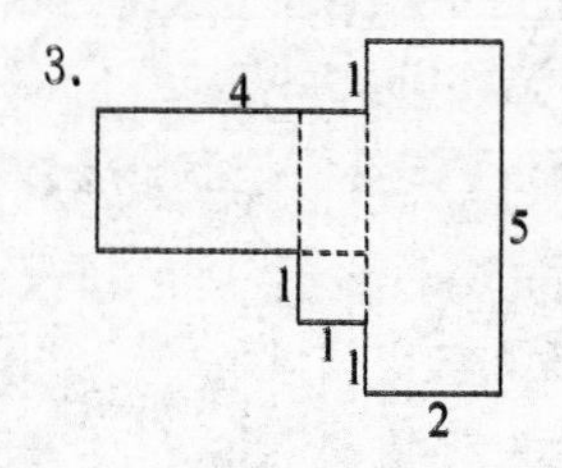

◯月◯日

王牌例题 4

有两个相同的长方形,长是 8 厘米、宽是 3 厘米,把它们按下图叠放。这个图形的面积是多少平方厘米?

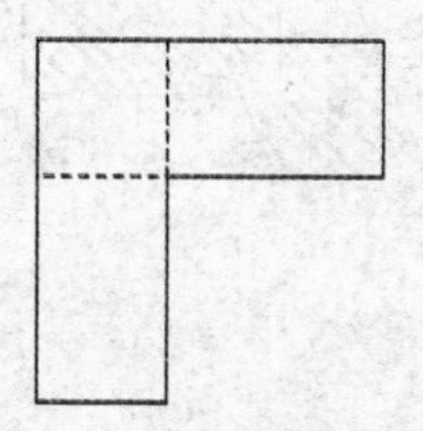

【思路导航】如果两个长方形没有叠放,那么它们的面积就是 $8\times3\times2=48$ 平方厘米。现在两个长方形重叠了一部分,重叠部分是个边长为 3 厘米的正方形,面积是 $3\times3=9$ 平方厘米,因此这个图形的面积是 $48-9=39$ 平方厘米。列式如下:

$$8\times3\times2-3\times3=39(\text{平方厘米})$$

答：这个图形的面积是 39 平方厘米。

举一反三 4

1. 两张边长为 8 厘米的正方形纸，一部分叠在一起放在桌上（如下图所示）。问桌子被盖住的面积是多少？

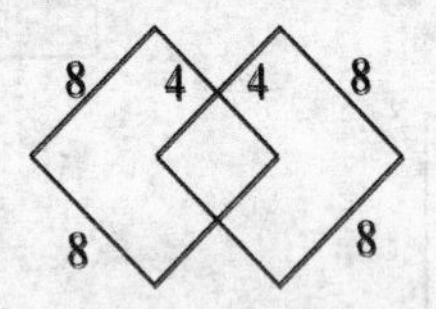

2. 求阴影部分的面积。（单位：分米）

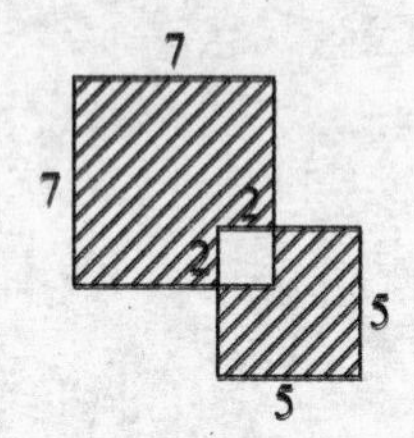

3. 一个长方形与一个正方形部分重合（如下图），求下图中两个阴影部分的面积相差多少？（单位：厘米）

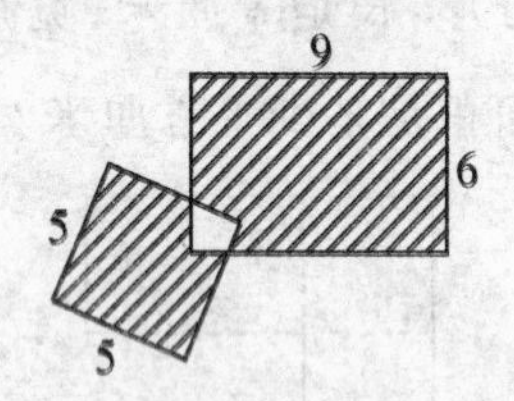

○月○日

王牌例题 5

把一张长 18 厘米、宽 6 厘米的长方形纸，剪成边长 3 厘米的小正方形纸，问能剪多少个这样的小正方形纸？

【思路导航】要求能剪多少个这样的小正方纸形可以先分别求出长方形纸和小正方形纸的面积，再用长方形纸的面积除以小正方形纸的面积就行了。列式如下：

$$(18\times6)\div(3\times3)=12(\text{个})$$

答：能剪 12 个。

想一想，还有其他解答方法吗？

举一反三 5

1. 把一个长 20 厘米、宽 16 厘米的长方形分割成边长为 4 厘米的小正方形，最多能分割多少个小正方形？

2. 一间长 16 米、宽 12 米的房间，用边长为 4 分米的正方形地砖铺地，需要多少块地砖？

3. 一张长 26 厘米、宽 18 厘米的长方形彩纸，剪成边长为 3 厘米的小正方形，最多能剪多少个小正方形？

第38周 最佳安排

专题简析

我们每天的生活、学习都离不开时间，但是你知道时间里有大学问吗？合理地安排时间，往往会达到事半功倍的效果。科学地安排时间的方法，就叫做最佳安排。

小朋友在进行最佳安排时，要考虑以下几个问题：(1)要做哪几件事；(2)做每件事需要的时间；(3)要弄清所做事的程序，即先做什么，后做什么，哪些事可以同时做。

在学习、工作和生活中，只有尽可能地节省时间、人力和物力，才能发挥出最大的效率。

○月○日

王牌例题①

明明早晨起来后要完成：洗水壶 1 分钟，烧开水 12 分钟，把水灌入水瓶要 2 分钟，吃早点要 8 分钟，整理书包要 2 分钟。明明应该怎样安排才能用时间最少？最少要用多少分钟？

【思路导航】能同时做的事尽量要同时去做，这样才能节省时间。水壶不洗，不能烧开水，因而洗水壶不能和烧开水同时进行，而吃早点和整理书包可以和烧开水同时进行。

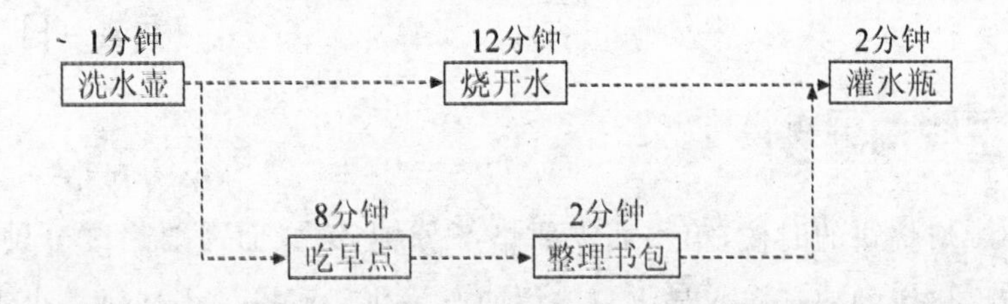

从上图中可以看出洗水壶要1分钟，接着烧开水12分钟，在等水烧开的同时吃早点、整理书包，水开了就灌入水瓶共需要15分钟。列式如下：

$$1+12+2=15(\text{分})$$

答：先洗水壶，接着烧开水，在等水烧开时吃早点、整理书包，再灌水。最少要用15分钟。

举一反三 1

1. 红红早晨起来刷牙洗脸要4分钟，读书要8分钟，烧开水要10分钟，冲牛奶要1分钟，吃早饭要5分钟。红红起床后最少多少分钟就能上学了？

2. 小明每天早晨起床后洗漱用5分钟，叠被子用4分钟，听15分钟广播，吃早饭用8分钟。要完成这些事情，小明最少要花费多长时间？

3. 玲玲想给客人烧水沏茶，洗水壶要2分钟，烧开水要12分钟，买茶叶5分钟，洗茶杯要1分钟，冲茶要1分钟。要让客人尽早喝上茶，你认为最少多少分钟客人就能喝上茶？

◯月◯日

王牌例题②

烙烧饼的时候，第一面需要烙3分钟，第二面需要烙2分钟，而烙烧饼的架子一次最多只能放两个烧饼。要烙三个烧饼最少需要几分钟？

【思路导航】先放第一、二两个烧饼烙第一面，过3分钟后拿下第一个烧饼，并把第二个烧饼翻过去，并放入第三个烧饼，过2分钟后拿下第二个烧饼，并放入第一个烧饼，过1分钟后把第三个烧饼翻过来，再过1分钟后取下第一个烧饼，再过1分钟后三个烧饼全烙好了，用了8分钟。列式如下：

$$3+2+1+1+1=8(分)$$

答：烙3个烧饼最少需要8分钟。

举一反三2

1.用一个平底锅烙饼，锅上只能同时放两个饼，烙第一面需要2分钟，烙第二面需要1分钟，现在要烙三个饼，最少需要多少分钟？

2.烤面包的架子上一次最多只能放两个面包，烤一个面包每面需要2分钟，那么烤三个面包最少需要多少分钟？

3.在火炉上烤烧饼，烤好一个烧饼需要4分钟，每烤完一面需要2分钟，炉上只能同时烤两个烧饼，现在要烤21个烧饼，最少需要多长时间？

○月○日

王牌例题③

甲、乙、丙、丁四人各有一块麦地，他们同时用一台收割机进行收割。甲的麦地需要收割 4 小时，乙的麦地需要收割 1 小时，丙的麦地需要收割 3 小时，丁的麦地需要收割 2 小时。怎样安排四人的收割顺序才能使他们花的总时间最少？最少的时间是多少小时？

【思路导航】所用的时间是指他们四个人各自收割时间与等的时间的总和，因为各自收割的时间不变，所以在安排收割的顺序时应该使等的时间尽可能少，即应该安排收割时间少的人先收割，顺序是乙、丁、丙、甲，过程可用下表表示：

	乙收割的时间	丁收割的时间	丙收割的时间	甲收割的时间
乙等的时间	1			
丁等的时间	1	2		
丙等的时间	1	2	3	
甲等的时间	1	2	3	4

从表中可看出，四人收割的时间为 $1+2+3+4=10$ 时，三人等的时间为 $1\times3+2\times2+3=10$ 时。列式如下：

$$1+2+3+4=10(\text{时})$$

$$1\times3+2\times2+3=10(\text{时})$$

$$10+10=20(\text{时})$$

答：安排顺序为乙、丁、丙、甲。最少时间是 20 小时。

举一反三 3

1. A、B、C、D 四位同学分别拿着 5，3，4，2 个暖瓶去打水，热水龙头只有一个，怎样合理安排他们的打水顺序，才能使他们打完水所花的总时间(含排队、打水的时间)最少?假如打满一暖瓶水需1分钟,那么打水的总时间最少是多少分钟?

2.学校卫生室里有四名同学在等候医生治病。甲打针要3分钟,乙换纱布要4分钟,丙涂红药水要2分钟,丁点眼药水要1分钟。怎样安排才能使他们在卫生室花费的总时间最少?最少的时间是多少分钟?

3.三个顾客到同一个柜台去买东西,甲需要用4分钟,乙需要用6分钟,丙需要用2分钟。怎样安排他们的购买顺序,使他们所花的总时间最少?最少的时间是多少分钟?

○月○日

王牌例题④

在一条公路上每隔50千米有1个粮库,共有4个粮库。甲粮库存有10吨粮食,乙粮库存有20吨粮食,丁粮库存有50吨粮食,丙粮库是空的。现在想把所存的粮食集中放在一个粮库中,如果每吨粮食运1千米要1元的运费,那么最少要花多少运费才行?

甲	乙	丙	丁
10吨	20吨		50吨

【思路导航】这种运输问题,运的货物越重、路程越远花费就越多,反之如果运的货物越轻、路程越近花费就越少。在本题中各粮库之间的距离相等都是50千米,一般原则是“少往多处靠”。集中存在粮食较多的库房比较节约,甲、乙两粮库粮食合起来是30吨,还不如丁粮库的粮食多,所以应将甲、乙粮库的粮食集中放在丁粮库。甲粮库需用1×10×50×3=1500元,乙粮库需要1×20×50×2=2000元,共用1500+2000=3500元。列式如下:

1×(10×3+20×2)×50=3500(元)

答:最少要花运费3500元。

举一反三 4

1. 一条公路上每隔 20 千米有一个仓库，共有五个仓库。1 号仓库存有 20 吨货物，2 号仓库存有 30 吨货物，5 号仓库存有 70 吨货物，其余两个仓库是空的。现在要把所存的货物集中在一个仓库中，如果每吨货物运 1 千米要 1 元运费，那么最少要花多少运费？

1号　2号　3号　4号　5号

20吨　30吨　70吨

2. 一条公路上有四个储油站，它们之间都相隔 100 千米。甲储油站储有 50 吨油，乙储油站储有 10 吨油，丙储油站储有 20 吨油，丁储油站是空的。现在想把所存的油集中于一个储油站，每吨油运 1 千米要 2 元运费，那么最少要花多少运费？

甲　乙　丙　丁

50吨　10吨　20吨

3. 某地有五个仓库，每个仓库之间都有路相通（如下图所示），如果想把其他仓库的的物品放在一个仓库（只考虑路程，不考虑物品多少），选择把物品放在哪个仓库，才能使得运输的路程总和最少，最少是多少米？

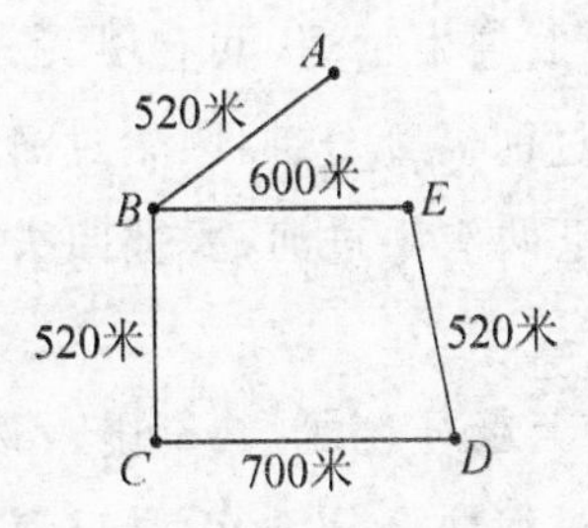

○月○日

王牌例题 5

小明骑在马背上赶马过河，共有甲、乙、丙、丁四匹马，甲马过河需 2 分钟，乙马过河需 3 分钟，丙马过河需 6 分钟，丁马过河需 7 分钟。每次只能赶两匹马过河，要把四匹马都赶到对岸去，最少要几分钟？

【思路导航】要使过河的时间最少，应抓住以下两点：①同时过河的两匹马过河时所需的时间相差尽可能少，才能使花时间少过河的马在过河时少浪费时间；②过河后应骑过河所需时间少的马回来。因此赶马的顺序是：小明先骑甲马赶乙马一起过河，再骑甲马返回，共需 3＋2＝5 分；然后骑丙马赶丁马一起过河，再骑乙马返回，共需 7＋3＝10 分；最后骑甲马赶乙马一起过河，共需 3 分钟。所以四匹马都赶到对岸去最少需要的时间是：

$$(3+2)+(7+3)+3=18(\text{分})$$

答：最少要 18 分钟。

举一反三 5

1. 一个农民要带一只鸡、一只狗和一袋米过河，河边只有一条船，每次只能带一样东西过河，如果人不在，狗要咬鸡，鸡要啄米。怎样安排过河，才能不让狗咬鸡、鸡啄米呢？

2. 明明骑在牛背上赶牛过河，共有甲、乙、丙、丁四头牛，甲牛过河需 1 分钟，乙牛过河需 2 分钟，丙牛过河需 5 分钟，丁牛过河需 6 分钟，每次只能赶两头牛过河，要把四头牛都赶到河对岸去，最少要几分钟？

3. 小刚骑在马背上赶马过河，共有甲、乙、丙、丁四匹马，甲马过河要 7 分钟，乙马过河要 2 分钟，丙马过河要 3 分钟，丁马过河要 8 分钟，每次只能赶两匹马过河，要把四匹马都赶到河对岸去，最少要几分钟？

第39周 抽屉原理

专题简析

把12个苹果放到11个抽屉中去，那么至少有一个抽屉中放有两个苹果，这个事实的正确性是非常明显的。把它进一步推广，就可以得到数学里重要的抽屉原理。

用抽屉原理解决问题，小朋友们一定要注意哪些是"抽屉"，哪些是"苹果"，并且要应用所学的数学知识制造"抽屉"，巧妙地加以应用，这样看上去十分复杂，甚至无从下手的题目也能顺利地解答。

○月○日

王牌例题①

学校买来历史、文艺、科普三类图书若干本，每名学生可以任意借2本，那么最少在多少名学生中，才一定能找到两人所借图书的种类完全相同？

【思路导航】在三类图书中任意借2本，借出图书的种类共有6种可能：①历史、历史，②历史、文艺，③历史、科普，④文艺、文艺，⑤文艺、科普，⑥科普、科普。我们把这6种可能看做6个抽屉，则最少需要7名学生，才一定能出现两人所借图书的种类完全相同。

列式如下：

$$3+2+1+1=7(名)$$

答：最少在7名学生中，才一定能找到两人所借图书的种类完全相同。

举一反三 1

1. 学校图书室买来许多故事书、科技书和连环画，每个同学可以任意选两本，那么至少应有几个同学才能保证有两个或两个以上同学所选的书种类相同？

2. 幼儿园买来白兔、熊猫、长颈鹿三种玩具若干个，每个小朋友可以任意选择两种，那么至少有多少个小朋友才能保证有两个小朋友所选的玩具相同？

3. 某校四年级有367名学生，都是2000年出生的，老师不用查学生的出生表就能断言："至少有两名同学在同一天过生日。"你知道为什么吗？

○月○日

王牌例题②

盒子里混装着5个白色球和4个红色球，要想保证一次能拿出2个同颜色的球，至少要拿出多少个球？

【思路导航】如果每次拿2个球会有三种情况：①1个白球，1个红球；②2个白球；③2个红球。不能保证一次能拿出2个同颜色的球。

如果每次拿3个球会有四种情况：①1个白球，2个红球；②1个红球，2个白球；③3个白球；④3个红球。这样每次都能保证拿出2个同颜色的球，所以至少要拿出3个球。列式如下：

$$2+1=3(\text{个})$$

答：至少要拿3个球。

举一反三 2

1. 箱子里装着6个苹果和8个梨，要保证一次能拿出2个同样的水果，至少要拿出多少个水果？

2. 书箱里混装着3本故事书和5本科技书，要保证一次能拿出2本同样的书，至少要拿出多少本书？

3. 书箱里混装着3本故事书和5本科技书，要保证一次能拿出2本故事书，至少要拿出多少本书？

○月○日

王牌例题 3

一个布袋里装有红色、黄色、蓝色袜子各5只，问一次至少取出多少只袜子才能保证每种颜色的袜子至少有1只？

【思路导航】我们从最不利的情况着手，如果先取5只全是红色的袜子，那么只好再取5只袜子；假如5只袜子又全是黄色的，这时再取1只袜子一定是蓝色的，这样取5+5+1=11只的袜子才能保证每种颜色的袜子至少有1只。列式如下：

$$5+5+1=11(\text{只})$$

答：一次至少取出11只袜子才能保证每种颜色的袜子至少有1只。

举一反三 3

1. 抽屉里放着红、绿、黄三种颜色的球各3个，问一次至少摸出多少个球才能保证每种颜色的球至少有 1 个?

2. 书箱里放着 4 本故事书、3 本连环画、2 本文艺书,问一次至少取出多少本书才能保证每种书至少有 1 本?

3. 把 54 朵花分给 10 个小朋友,能不能使每个小朋友都有花,但花的朵数互不相同?为什么?

○月○日

王牌例题 4

三(2)班有 50 个同学,在学雷锋活动中每人单独做了些好事,他们共做好事 155 件。问是否有人单独做了 4 件或 4 件以上的好事?

【思路导航】根据条件可知:三(2)班有 50 个同学,假如每个同学做 3 件好事,那就做了 $3\times50=150$ 件好事,而他们做的好事是 155 件,就多了 $155-150=5$ 件,所以有一个同学做了 4 件或 4 件以上好事。列式如下:

$3\times50=150$(件)

$155-150=5$(件)

答:有人单独做了 4 件或 4 件以上好事。

举一反三 4

1. 幼儿园小班共有 30 个小朋友,他们每人都有一些玩具,共有玩具 92 件。问是否有人单独有 4 件或 4 件以上的玩具?

2. 童星幼儿园有 6 个班,他们在植树节中每班都种了一些树,他们共种了 14 棵树。问是否有班级种了 3 棵或 3 棵以上的树?

3. 明明、华华、颖颖三人各有一些铅笔,他们共有铅笔 14 支。问是否有人有 5 支或 5 支以上的铅笔?

○月○日

王牌例题⑤

在一次春游活动中，三(3)班有31人带了面包，有38人带了饮料，有36人带了水果，还有34人带了巧克力，全班共45人，可以肯定至少有多少人这四样东西都带了？

【思路导航】三(3)班若每人带三样，那么一共有45×3=135样，而实际上他们一共带了31+38+36+34=139样，多了139−135=4样，所以可以肯定至少有4人这四样东西都带了。列式如下：

45×3=135(样)

31+38+36+34=139(样)

139−135=4(样)

答：可以肯定至少有4人这四样东西都带了。

举一反三 5

1.某活动中心共有三年级学生52人，其中有35人学钢琴，有37人学电脑，有38人学美术，还有50人学英语。那么至少有多少人这四项内容全都学了？

2.在一家新华书店里，共有40人在买书，结果发现有35人买了生活类书，有36人买了科技类书，有26人买了外语类书，还有32人买了故事类书。问至少有多少人这四类书都买了？

3.50人参加测验，答对第一题的有41人，答对第二题的有30人，答对第三题的有45人，答对第四题的有38人，有3人一道题都没答对。问至少有多少人四道题都答对了？

第40周 一题多解

专题简析

一题多解是指从不同的角度，运用不同的思维方式来解答同一道题的思考方法。经常进行一题多解的训练，可以锻炼我们的思维，使我们的头脑更灵活。

在进行一题多解的练习时，要根据题目的具体情况，先确定思维的起点，然后沿着不同的思考方向，就能找到不同的解题方法。在寻求一题多解时，还应该特别注意选择解决问题的简便方法和最佳途径。

○月○日

王牌例题1

有一个正方形池塘，四周种了树，每边种8棵树，每个顶点种1棵树，每2棵树之间距离都相等。四周一共种了多少棵树？

【思路导航】方法一：根据条件可知，每边种8棵树，4边就种$8\times4=32$棵树，但每边起点的1棵树算了两次，一共多算了4棵树，所以四周共种了$32-4=28$棵树。列式如下：

$$8\times4-4=28(\text{棵})$$

方法二：我们可以先数正方形的一组对边，包括两个顶点的，每边种 8 棵树，再数另一组对边，不数两个顶点的，每边种 $8-2=6$ 棵，共有 $8\times2+6\times2=28$ 棵树。列式如下：

$$8\times2+(8-2)\times2=28(\text{棵})$$

方法三：把正方形 4 边拉直，每边种 8 棵，就是把每边分成了 7 等份，4 边共分成了 28 等份，每一等份对应一棵树，共有 28 棵树。列式如下：

$$(8-1)\times4=28(\text{棵})$$

答：四周一共种了 28 棵树。

举一反三 1

1. 在一个正方形的菜地四周围篱笆，每个顶点插一根篱笆，每两根篱笆之间的距离相等，每边有 12 根篱笆，四周一共围了多少根篱笆？

2. 在一个三角形花圃周围种松树，每个顶点种一棵松树，每边种 10 棵松树，每两棵松树之间距离相等，周围一共种了多少棵松树？

3. 少先队员表演节目，围成一个正方形，每个顶点站 1 人，每边站 6 人。共站了多少人？

○月○日

王牌例题 2

一瓶花生油连瓶共重 800 克，吃掉一半油，连瓶一起称，还剩 550 克。瓶里原有多少克油？空瓶重多少克？

【思路导航】方法一：根据条件可知，花生油和瓶的重量由 800

克变为 550 克，是因为吃掉了一半油，半瓶油的重量是 800－550＝250 克，一瓶油的重量是 250×2＝500 克，油瓶的重量是 800－500＝300 克。列式如下：

(800－550)×2＝500(克)

800－500＝300(克)

方法二：根据条件可知，半瓶油连瓶重 550 克，半瓶油的重量 800－550＝250 克，瓶重 550－250＝300 克，油的重量为 800－300＝500 克。列式如下：

550－(800－550)＝300(克)

800－300＝500(克)

方法三：根据“半瓶油连瓶一起称共 550 克”可求出一瓶油和两个瓶共重 550×2＝1100 克，再从 1100 克中减去一瓶油连瓶的重量 800 克，即可求出瓶重 1100－800＝300 克，油重 800－300＝500 克。列式如下：

550×2－800＝300(克)

800－300＝500(克)

答：瓶里原有 500 克油。空瓶重 300 克。

举一反三 2

1. 一箱大米，连箱共重 50 千克，吃掉一半大米后，连箱共重 27 千克。这箱大米重多少千克？箱子重多少千克？

2. 一筐苹果连筐共重 85 千克，倒去一半苹果后，连筐共重 45 千克。苹果和筐各重多少千克？

3. 一筐橘子，连筐共重 45 千克，先拿一半送给幼儿园，再拿出剩下的一半给敬老院的老人，余下的橘子连筐共重 15 千克。橘子和筐各重多少千克？

王牌例题3

甲班有42名学生,乙班有35名学生,开学时又来了25名新同学。怎样分才能使两班的学生人数相等?

【思路导航】方法一:根据已知条件我们可求出新来了25名同学后的总人数为42+35+25=102人,再求出平均每班为102÷2=51人,再根据甲班、乙班原有的人数分别求出甲班分了51-42=9人,乙班分了51-35=16人。列式如下:

(42+35+25)÷2=51(人)

51-42=9(人)　　51-35=16(人)

方法二:根据已知条件,我们可先求出乙班比甲班少42-35=7人,那么在25名新同学中我们可先分7人给乙班,使乙班和甲班人数一样多,这样就剩下25-7=18人,剩下的这18人,我们再平均分给两个班,每班各分18÷2=9人,这样甲班分9人,乙班分9+7=16人,列式如下:

25-(42-35)=18(人)

18÷2=9(人)

9+(42-35)=16(人)

答:甲班分9人,乙班分16人。

举一反三3

1. 小明有18支铅笔,小红有15支铅笔,妈妈又买来13支铅笔,怎样分才能使两人的铅笔一样多?

2. 甲仓库有粮食420吨,乙仓库有粮食370吨,现又运来粮食180吨,怎样分才能使两仓库粮食一样多?

3. 有甲、乙两筐苹果,甲筐苹果重25千克,乙筐苹果重18千克,现又买来13千克苹果,怎样分才能使两筐的苹果一样多?

○月○日

王牌例题④

池塘边种了150棵柏树，种的杨树的棵数比柏树多45棵，种的柳树的棵数比杨树多32棵。池塘边柳树的棵数比柏树的棵数多多少棵？

【思路导航】根据题意，画出线段图：

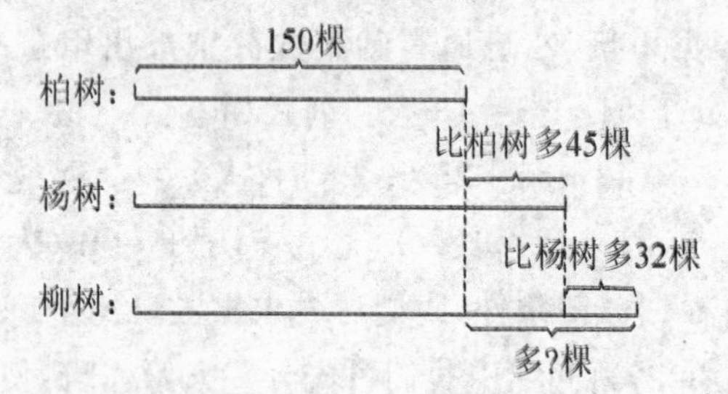

方法一：先求出柳树共有多少棵：150＋45＋32＝227棵，再求出柳树比柏树多的棵数：227－150＝77棵。列式如下：

150＋45＋32＝227(棵)

227－150＝77(棵)

方法二：从图中可以看出，用杨树比柏树多的棵数加柳树比杨树多的棵数，直接就可以求出柳树比柏树多的棵数。

45＋32＝77(棵)

答：池塘边柳树比柏树多77棵。

举一反三 4

1. 果园里有桃树40棵，梨树的棵数比桃树的棵数多14棵，杏树的棵数比梨树的棵数多16棵，果园里杏树的棵数比桃树的棵数多多少棵？

2. 甲班有图书84本，乙班图书的本数比甲班多36本，丙班的图书本数比乙班少12本，丙班的图书本数比甲班多多少本？

3. 商店里有红气球 68 个，黄气球比红气球少 9 个，蓝气球比黄气球少 5 个，商店里红气球比蓝气球多多少个？

○月○日

王牌例题⑤

小慧、小玲、芳芳是三个好朋友，小慧和小玲的年龄和为 28 岁，小玲和芳芳的年龄和为 29 岁，小慧和芳芳的年龄和为 31 岁。你知道她们三人各多少岁吗？

【思路导航】方法一：先根据题目条件求出三个人的年龄和为 $(28+29+31)\div2=44$ 岁，那么芳芳的年龄为 $44-28=16$ 岁，小慧的年龄为 $44-29=15$ 岁，小玲的年龄为 $44-31=13$ 岁。

方法二：根据第一、二个条件可求出芳芳和小慧的年龄差为 $29-28=1$ 岁，再根据第三个条件可得小慧的年龄为 $(31-1)\div2=15$ 岁，芳芳的年龄为 $(31+1)\div2=16$ 岁，最后求出小玲的年龄为 $28-15=13$ 岁。

答：小慧 15 岁，小玲 13 岁，芳芳 16 岁。

举一反三 5

1. 小明一家三口，爸爸、妈妈年龄和为 68 岁，爸爸、小明的年龄和为 44 岁，妈妈、小明的年龄和为 42 岁。问小明一家三口的年龄分别是多少？

2. 商店里有铅笔、圆珠笔、钢笔三种笔，已知铅笔、圆珠笔共 92 支，圆珠笔、钢笔共 71 支，铅笔、钢笔共 95 支。求这三种笔各多少支？

3. 某小学三年级有甲、乙、丙三个班，甲、乙两班学生人数为 87 人，乙、丙两班学生人数为 92 人，甲、丙两班学生人数为 95 人。求三个班各有学生多少人？

参考答案

第 1 周

举一反三 1

1. 3+2+1=6(条)

2. 5+4+3+2+1=15(条)

举一反三 2

1. (1)2+1=3(个)

(2)4+3+2+1=10(个)

2. 8×2+2=18(个)

举一反三 3

1. (2+1)×2=6(个)

2. 4+3+2+1=10(个)

举一反三 4

1. (1)(4+3+2+1)×(2+1)=30(个)

(2)(4+3+2+1)×(3+2+1)=60(个)

2. 9+4+1=14(个)

举一反三 5

1. 5+4+3+2+1=15(场)

2. 3+2+1=6(种)

3. (5+4+3+2+1)×2=30(个)

第 2 周

举一反三 1

1. (1)12,14　　(2)26,37

2. (1)512,2048　　(2)625,3125

3.6,1

举一反三 2

1.(1)8,1　(2)81,2

2.(1)9,6　(2)7,9

3.(1)4,4,23　(2)4,16,12

举一反三 3

1.(1)33,65　(2)244,730

2.(1)11　(2)108

3.56

举一反三 4

1.18　　2.16　　3.24

举一反三 5

1.495,594　　2.3897　　3.3865

第 3 周

举一反三 1

1.(1) 398+64

=400+64-2

=464-2

=462

(2) 336+502

=336+500+2

=836+2

=838

(3) 876-198

=876-200+2

=676+2

=678

(4) 2825-1003

=2825-1000-3

=1825-3

=1822

2.(1) 903+297

=900+3+300-3

=(900+300)+(3-3)

=1200

(2) 903-297

=900+3-300+3

=(900-300)+(3+3)

=606

3.　502+499-398-97

=500+2+500-1-400+2-100+3

$=(500+500-400-100)+(2-1+2+3)$

$=500+6$

$=506$

举一反三 2

1.(1) $42+38+45+39+41+37$

$=40\times6+2-2+5-1+1-3$

$=240+2$

$=242$

(2) $66+57+65+53+60+59+62$

$=60\times7+6-3+5-7-1+2$

$=420+2$

$=422$

2.(1) $99999+9999+999+99+9$

$=100000-1+10000-1+1000-1+100-1+10-1$

$=100000+10000+1000+100+10-5$

$=111110-5$

$=111105$

(2) $1999+199+19$

$=2000-1+200-1+20-1$

$=2000+200+20-3$

$=2217$

3.$375+283+225+17$

$=(375+225)+(283+17)$

$=600+300$

$=900$

举一反三 3

1.(1) $321+127+79+73$

$=(321+79)+(127+73)$

$=400+200$

$=600$

(2) $89+123+11+177$

$=(89+11)+(123+177)$

$=100+300$

$=400$

(3) $235-125+65$

$=(235+65)-125$

$=300-125$

$=175$

2.(1) $483+254-183$

$=483-183+254$

$=300+254$

$=554$

(2) $271+97-171$

$=271-171+97$

$=100+97$

$=197$

(3) $425-172-28$

$=425-(172+28)$

$=425-200$

$=225$

举一反三 4

1.(1) $421+(179-125)$

$=421+179-125$

$=600-125$

$=475$

(2) $375+(125-47)$

$=375+125-47$

$=500-47$

$=453$

(3) $812+(188-123)$

$=812+188-123$

$=1000-123$

$=877$

2.(1) $523-(175+123)$

$=523-123-175$

$=400-175$

$=225$

(2) $785-(231+285)$

$=785-285-231$

$=500-231$

$=269$

(3) $328-(284-172)$

$=328+172-284$

$=500-284$

$=216$

举一反三 5

1. $500-99-1-98-2-97-3-96-4$

$=500-[(99+1)+(98+2)+(97+3)+(96+4)]$

$=500-400$

$=100$

2. $1000-90-80-70-60-50-40-30-20-10$

$=1000-[(90+10)+(80+20)+(70+30)+(60+40)+50]$

$=1000-450$

$=550$

3. $1000-91-1-92-2-93-3-94-4-95-5-96-6-97-7-98-8-99-9$

$=1000-[(91+9)+(92+8)+(93+7)+(94+6)+(95+5)+(96+4)+(97+3)+(98+2)+(99+1)]$

$=1000-900$

$=100$

第 4 周

举一反三 1

1. (1) $4-1+2+5=10$　　(2) $4\times1\div2\times5=10$

2. (1) $(3\times4-5-6)\times8=8$　　(2) $3\div(4+5-6)\times8=8$

3. (1) $(3+3-3)\div3=1$　　(2) $3\div3+3\div3=2$

(3) $3\times3-3-3=3$

举一反三 2

1. $4+4-4-4=0$　　$(4+4-4)\div4=1$

$4\div4+4\div4=2$　　$(4+4+4)\div4=3$

$(4-4)\times4+4=4$　　$(4\times4+4)\div4=5$

2. $(5+5-5-5)\times5=0$　　$[(5-5)\times5+5]\div5=1$

$(5+5+5-5)\div5=2$　　$(5+5)\div5+5\div5=3$

3. $888+88+8+8+8=1000$

举一反三 3

1. $333\times3+333\times3+3\div3+3\div3=2000$

2. 2222÷2－222÷2＝1000

3. 666×(6÷6)－66＝600

举一反三 4

1. 98－76＋5－4＋3－2－1＝23

2. 1＋2×3－4＋5－6＋7－8＝1

3. 1＋2＋3－4＋5＋6－7＋8＝14

举一反三 5

1. 1＋2＋3＋4－5＋6＋7＋8＋9＋10＝45

2. (4＋28)÷4－2×(3－1)＝4

3. (1＋2×3＋4×5＋6)×7＋8×9＝303

第 5 周

举一反三 1

```
1.   1 2 7        2.   2 2 9        3.   1 3 4
   ×     7           ×     8           ×     4
   -------           -------           -------
     8 8 9           1 8 3 2             5 3 6
```

举一反三 2

```
1.     9 2        2.     8 1              6 3
   ×     9           ×     7     或    ×     9
   -------           -------           -------
     8 2 8             5 6 7             5 6 7
```

```
3.     8 7               9 7               7 1
   ×     7     或    ×     7     或    ×     9
   -------           -------           -------
     6 0 9             6 7 9             6 3 9
```

举一反三 3

```
1.     1 8        2.     1 7
   4 ) 7 2           5 ) 8 5
       4                 5
       ---               ---
       3 2               3 5
       3 2               3 5
       ---               ---
         0                 0
```

```
3.     1 2               1 3               1 4               1 5               1 6
   6 ) 7 2           6 ) 7 8           6 ) 8 4           6 ) 9 0           6 ) 9 6
       6       或        6       或        6       或        6       或        6
       ---               ---               ---               ---               ---
       1 2               1 8               2 4               3 0               3 6
       1 2               1 8               2 4               3 0               3 6
       ---               ---               ---               ---               ---
         0                 0                 0                 0                 0
```

举一反三 4

1.
```
     1 2
  8 )9 6
     8
     1 6
     1 6
       0
```

2.
```
     1 2            1 3            1 4            1 5
  5 )6 0         5 )6 5         5 )7 0         5 )7 5
     5      或      5      或      5      或      5
     1 0            1 5            2 0            2 5
     1 0            1 5            2 0            2 5
       0              0              0              0
```

```
     1 6            1 7            1 8            1 9
  5 )8 0         5 )8 5         5 )9 0         5 )9 5
     5      或      5      或      5      或      5
     3 0            3 5            4 0            4 5
     3 0            3 5            4 0            4 5
       0              0              0              0
```

3.
```
       6 7 3
  8 )5 3 8 4
     4 8
       5 8
       5 6
         2 4
         2 4
           0
```

举一反三 5

1.
```
     3 0 2 0              5 0 2 0              7 0 2 0              9 0 2 0
  5 )1 5 1 0 4    或    5 )2 5 1 0 4    或    5 )3 5 1 0 4    或    5 )4 5 1 0 4
     1 5                  2 5                  3 5                  4 5
         1 0                  1 0                  1 0                  1 0
         1 0                  1 0                  1 0                  1 0
             4                    4                    4                    4
```

2.
```
     7 0 6 0
  7 )4 9 4 2 5
     4 9
         4 2
         4 2
             5
```

3.
```
     2 7 4
  3 )8 2 2
     6
     2 2
     2 1
       1 2
       1 2
         0
```

第 6 周

举一反三 1

1. 儿=7　童=9　俱=3　乐=6　部=5

2. $A=3$　$B=8$

3. 世=1　博=4　成=2　功=8　举=5　办=7　好=9

举一反三 2

1. 小＝2　数＝3　报＝9　学＝7

2. 奥＝4　林＝2　匹＝8　克＝5　赛＝7

举一反三 3

1. $a=1$　$b=5$　$c=0$　$s=9$　$t=6$

2. $A+B+C=3+7+9=19$

3. $A=8$　　$B=3$　　$C=4$

举一反三 4

1. 庆＝2　澳＝1　门＝9　回＝7　欢＝4　归＝8

2. 不＝5　懈＝3　努＝2　力＝1　坚＝9　持＝0　我＝4　们＝9　天＝8

3. 好＝1　坚＝3　持＝7　再＝0

举一反三 5

1. 三＝1　好＝5　学＝0　生＝4

从个位看，显然"生"＝4；再看十位，"学"＝0；再根据百位和千位的情况，得"好"＝5，"三"＝1。

2. 巧＝1，填＝5，式＝0，谜＝3；或巧＝1，填＝4，式＝6，谜＝8。

从个位看，"谜"＝3 或 8，如果"谜"＝3，十位"式"＝0，百位"填"＝5，所以"巧"＝1；如果"谜"＝8，十位"式"＝6，百位"填"＝4，所以"巧"＝1。

3. 庆＝1　奥＝4　运＝8　开＝0

根据千位、百位、十位的情况判断"庆"＝1；再结合百位、十位的情况判断"奥"＝4；再看十位，"运"＝8；所以，个位"开"＝0。

第 7 周

举一反三 1

1.

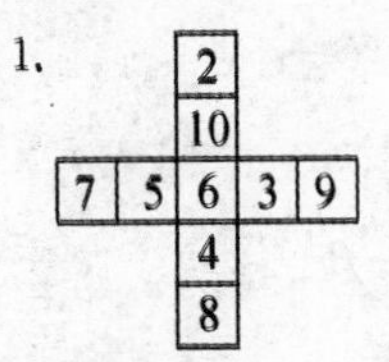

2.

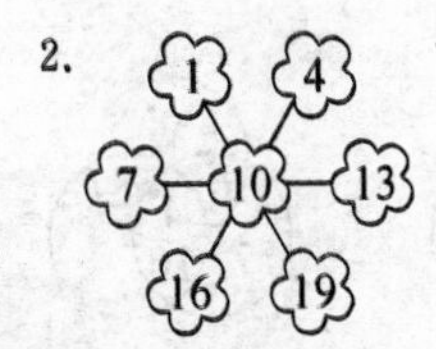

3.

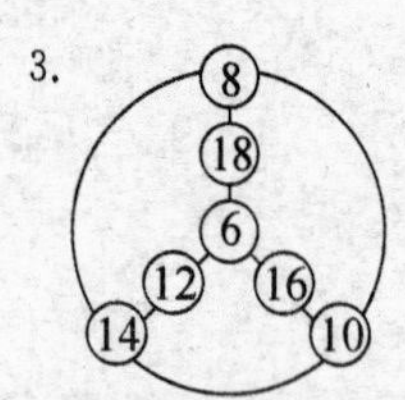

举一反三 2

1.

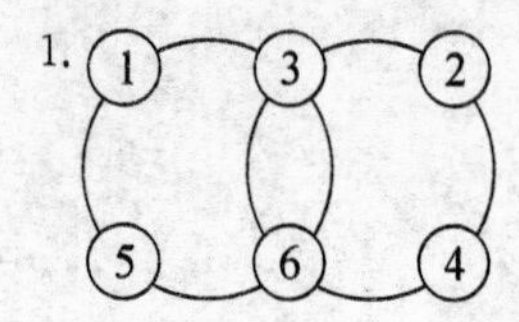

2.

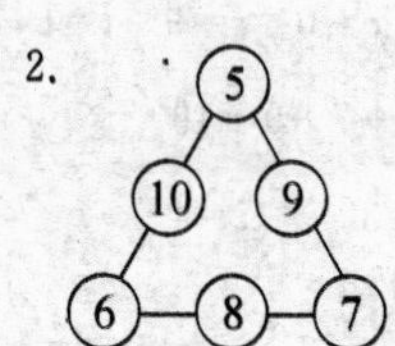

3.

	2	
4	3	6
	8	

1	5	7

举一反三 3

1.

8	1	6
3	5	7
4	9	2

2.

1	15	14	4
12	6	7	9
8	10	11	5
13	3	2	16

3.

8	1	9
	5	
6	2	10
	7	
4	3	11

或

6	1	11
	4	
7	2	9
	8	
5	3	10

或

7	1	10
	4	
5	2	11
	8	
6	3	9

举一反三 4

1.

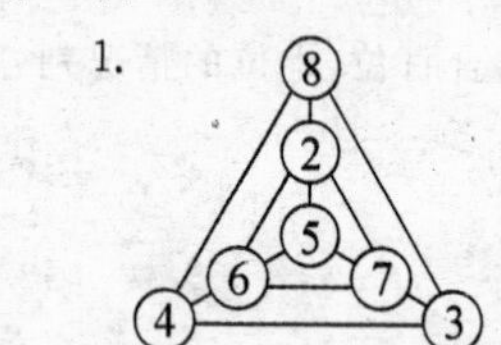

2.

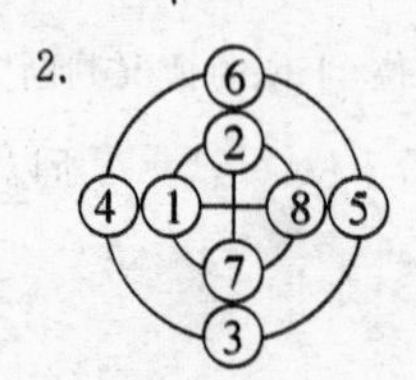

3. $2\times(1+2+3+4+5+6)+7+8+9=66 \quad 66\div3=22$

举一反三 5

1.

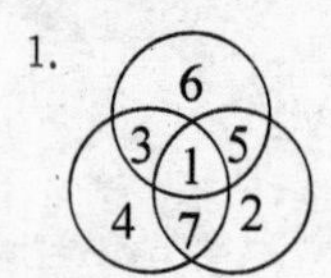

2.

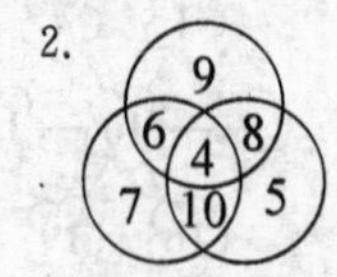

3.

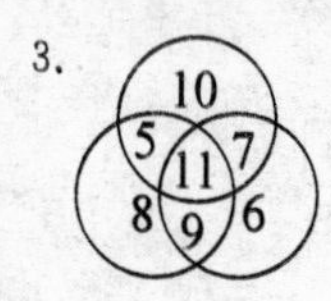

第 8 周

举一反三 1

1. 被除数最大是 31，最小是 25。

2. 被除数最大是 31，最小是 29。

3. 被除数是 64。

举一反三 2

1. (1)除数和商分别为 18,1;9,2;6,3。

(2)除数和商分别为 63,1;21,3;9,7;7,9;3,21。

(3)除数和商分别为 30,1;15,2;10,3。

(4)除数和商分别为 42,1;21,2;14,3;7,6。

2. 72;48;36;24;18;16;12。

举一反三 3

1. (1)35,28,21,14,7　　(2)24,18,12,6

(3)15,10,5　　(4)8,4

2. $112\div15=7\cdots\cdots7$　　$160\div15=10\cdots\cdots10$

$128\div15=8\cdots\cdots8$　　$176\div15=11\cdots\cdots11$

$144\div15=9\cdots\cdots9$

3. $8\times9+8=80$，即被除数最大是 80。

举一反三 4

1. (1)55　(2)89　(3)19　　2. 109　　3. 8

举一反三 5

1. 不相同的余数有 1,2,3,4,5,6,7,8 共八个

2. $9\times9+8=89$，A 最大是 89。

3. 甲:16，乙:7

第 9 周

举一反三 1

1. (1)由 $58\div6=9\cdots\cdots4$，可知有 9 个(1,4,2,8,5,7)还余 4 个数，所以第 58

个数是 8。

(2)(1＋4＋2＋8＋5＋7)×9＋(1＋4＋2＋8)＝258。

2.(1)由 111÷(4＋3＋2)＝12……3,可知有 12 个(四个 1 分、三个 2 分、两个 5 分)还余三个 1 分。所以他排列到第 111 个是面值 1 分的硬币。

(2)(1×4＋2×3＋5×2)×12＋1×3＝243(分)＝2.43(元)

3.由 100÷(1＋2＋3)＝16……4,可知有 16 个(一棵蟠桃,两棵水蜜桃,三棵大青桃)还余四棵桃树。所以第 100 棵是大青桃。蟠桃树有 1×16＋1＝17 棵,水蜜桃树有 2×16＋2＝34 棵,大青桃树有 3×16＋1＝49 棵。

举一反三 2

1.从公元 4 年到公元 2000 年共经历了 1997 年,1997÷12＝166……5,从鼠年开始往后数 5 年,公元 2000 年属龙年。

2.可以先算出 2000 年属什么年。从公元 7 年到公元 2000 年共经历了 1994 年,1994÷12＝166……2,从兔年往后数两年,公元 2000 年属龙年。龙年以后,再过 10 年是虎年。所以,21 世纪第一个虎年是 2010 年。

3.从 2001 年往前倒推,在计算年数时可以采用“算头不算尾”的方法。从公元 2000 年到公元 2 年共有 1999 年。1999÷12＝166……7,因为公元 2000 年是龙年,从龙年开始往前数 7 年,公元 2 年属狗年。

举一反三 3

1.第 25 组是“a1”

2.(1)120÷(3＋2＋1)＝20　　2×20＝40　白珠共有 40 个

(2)68÷(3＋2＋1)＝11(组)……2(个)　第 68 个珠子为红珠

3.45÷4＝11……1　45 是甲报的

123÷4＝30……3　123 是丙报的

举一反三 4

1.2＋3＋5＝10(支)　　47÷10＝4(组)……7(支)

蓝:3×4＋3＝15(支)　　绿:5×4＋2＝22(支)

22－15＝7(支)

答:蓝笔比绿笔少 7 支。

2.15－1－2－3－4＝5　　52÷5＝10(组)……2(个)

15×10+1+2=153

答:前52个数字之和是153。

3.50÷4=12(次)……2(个)　　12÷6=2(圈)

4×2+2=10(个)

答:可可总共拿了10个乒乓球。

举一反三5

1.112÷(3+1)=28(盆)　28×3=84(盆)　答:共摆了84盆月季花。

2.36÷(2+1)=12(人)　12×2=24(人)　答:这列队伍中男生有24人。

3.30÷3×2=20(面)　答:花圃周围共插了20面黄旗。

第10周

举一反三1

1.9天

2.36÷2÷2=9(厘米)　　20-1-1=18(天)

3.同时点燃绳子的两端,半小时绳子正好烧完。

举一反三2

1.20-(1+2+3+4)=10(颗)

2.18-(1+2+3+4)=8(人)

3.25-(1+2+3)=19(个)

举一反三3

1.60+16+6+6+6+6=100

2.88+88+8+8+8=200

3.87=64+16+4+2+1

举一反三4

1.9元4角

2.6角1分或6角

3.600+900=1500(元)

举一反三5

1.先把9升的大桶装满水,再把大桶中的水倒入小桶4升,把小桶中的水倒入河中，然后把大桶中剩余的 5 升水倒满小桶，这样大桶中还剩 1 升水。这时再把小桶中的水倒入河中，把大桶中的 1 升水倒入小桶，再把大桶装满水，把大桶中的水倒满小桶，此时大桶中有 6 升水，小桶中有 4 升水。最后再把小桶清空，把大桶中的 6 升水带回去即可。（答案不唯一）

2. 先用 7 克和 5 克的砝码称出 2 克的沙子，再把 2 克沙子和 7 克砝码放一边称出 9 克沙子。

3. 把大瓶中的水装满中瓶，再把中瓶的水倒满小瓶，把小瓶的水都倒回大瓶，再把中瓶中剩下的水倒满小瓶，此时中瓶中剩下 100 毫升水，可以把中瓶的 100 毫升刻度标出。再把小瓶的水都倒入大瓶中，并把中瓶里的 100 毫升水倒入小瓶中，这样就能标出小瓶的 100 毫升水的刻度线了。

第 11 周

举一反三 1

1. 15+2−17=0

2. (1) 22−21=1　　(2) 14−7+4=11

3. 2−2÷2=1

举一反三 2

1. (1) 44−27=17　　(2) 119−91=28

2. 12×4−14=34

3. 112×7−72=712

举一反三 3

1. 29+32=61

2. 最少移动 2 根火柴棒：111+111+1+1=224

3. 123−45−67+89=100

举一反三 4

1. 答案不唯一，11 根： 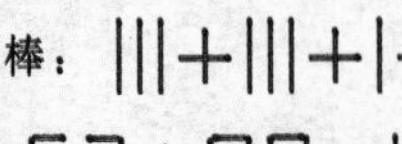　　10 根：

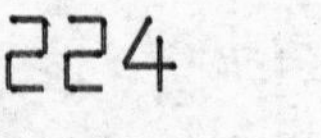

2. 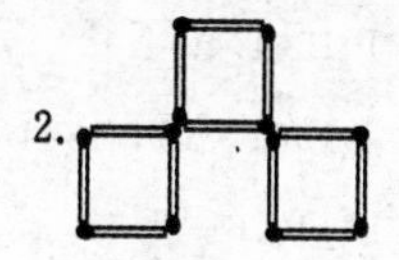

3. 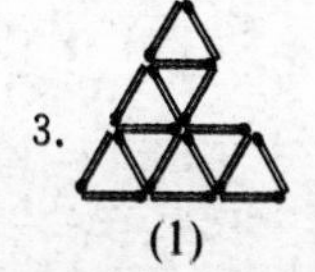 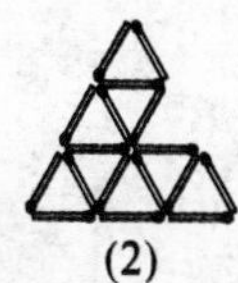 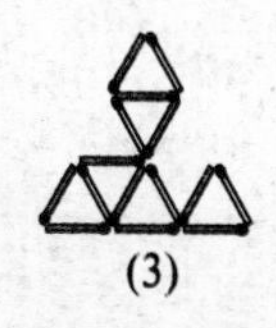 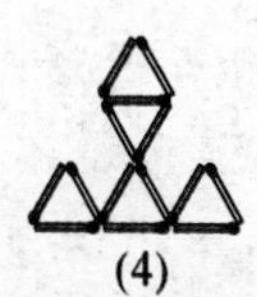

(1) (2) (3) (4)

举一反三 5

1. 3 根　　2. 5 根　　3. 4 根

第 12 周

举一反三 1

1. (1)132　(2)253　(3)495　(4)385

2. (1)517　(2)715　(3)1056　(4)957

3. (1)1485　(2)6633　(3)3619　(4)9592

举一反三 2

1. (1)480　(2)1110　(3)420

2. (1)6570　(2)4260　(3)10080

3. (1)131430　(2)74340　(3)119220

举一反三 3

1. (1)800　(2)1000　(2)700

2. (1)2025　(2)825　(3)675

3. (1)11825　(2)64050　(3)9425

举一反三 4

1. (1) 52×9
=52×10−52
=468

(2) 432×9
=432×10−432
=3888

(3) 1321×9
=1321×10−1321
=11889

2. (1) 72×99
=72×100−72
=7128

(2) 321×99
=321×100−321
=31779

(3) 7231×99
=7231×100−7231
=715869

3.(1) 78×9
$=78\times10-78$
$=702$

(2) 142×99
$=142\times100-142$
$=14058$

(3) 1564×9
$=1564\times10-1564$
$=14076$

(4) 1723×99
$=1723\times100-1723$
$=170577$

举一反三 5

1.(1)216 (2)1216 (3)625

2.(1)93009 (2)366024 (3)497016

3.(1)46224 (2)180609 (3)390625

第 13 周

举一反三 1

1.(1) $25\times23\times4$
$=25\times4\times23$
$=100\times23$
$=2300$

(2) $125\times27\times8$
$=125\times8\times27$
$=1000\times27$
$=27000$

2.(1) $5\times25\times2\times4$
$=(5\times2)\times(25\times4)$
$=10\times100$
$=1000$

(2) $125\times4\times8\times25$
$=(125\times8)\times(4\times25)$
$=1000\times100$
$=100000$

(3) $2\times125\times8\times5$
$=(2\times5)\times(125\times8)$
$=10\times1000$
$=10000$

3. 125×16
$=125\times8\times2$
$=1000\times2$
$=2000$

举一反三 2

1.(1) 25×12
$=25\times4\times3$
$=100\times3$
$=300$

(2) 125×32
$=125\times8\times4$
$=1000\times4$
$=4000$

(3) 48×125
$=8\times125\times6$
$=1000\times6$
$=6000$

2.(1) $125\times16\times5$
$=(125\times8)\times(2\times5)$
$=1000\times10$
$=10000$

(2) $25\times8\times5$
$=(25\times4)\times(2\times5)$
$=100\times10$
$=1000$

3.(1) $125\times64\times25$
$=(125\times8)\times(4\times25)\times2$
$=1000\times100\times2$
$=200000$

(2) $32\times25\times25$
$=(4\times25)\times(4\times25)\times2$
$=100\times100\times2$
$=20000$

举一反三 3

1.(1) 72×101
$=72\times100+72\times1$
$=7200+72$
$=7272$

(2) 38×101
$=38\times100+38\times1$
$=3800+38$
$=3838$

2.(1) 21×201
$=21\times200+21\times1$
$=4200+21$
$=4221$

(2) 49×301
$=49\times300+49\times1$
$=14700+49$
$=14749$

3.(1) 58×102
$=58\times100+58\times2$
$=5800+116$
$=5916$

(2) 63×403
$=63\times400+63\times3$
$=25200+189$
$=25389$

举一反三 4

1.(1) $170\div5$
$=(170\times2)\div(5\times2)$
$=340\div10$
$=34$

(2) $3270\div5$
$=(3270\times2)\div(5\times2)$
$=6540\div10$
$=654$

(3) $2340\div5$

$=(2340\times2)\div(5\times2)$

$=4680\div10$

$=468$

2.(1) $7200\div25$

$=(7200\times4)\div(25\times4)$

$=28800\div100$

$=288$

(2) $3600\div25$

$=(3600\times4)\div(25\times4)$

$=14400\div100$

$=144$

(3) $5600\div25$

$=(5600\times4)\div(25\times4)$

$=22400\div100$

$=224$

3.(1) $32000\div125$

$=(32000\times8)\div(125\times8)$

$=256000\div1000$

$=256$

(2) $78000\div125$

$=(78000\times8)\div(125\times8)$

$=624000\div1000$

$=624$

(3) $43000\div125$

$=(43000\times8)\div(125\times8)$

$=344000\div1000$

$=344$

举一反三 5

1.(1) $26\times49+49\times74$

$=49\times(26+74)$

$=49\times100$

$=4900$

(2) $82\times173-73\times82$

$=82\times(173-73)$

$=82\times100$

$=8200$

2.(1) $68\times99+68$

$=68\times(99+1)$

$=68\times100$

$=6800$

(2) $614\times14+88\times614-614\times2$

$=614\times(14+88-2)$

$=614\times100$

$=61400$

3.(1) $1750\div14-350\div14$

$=(1750-350)\div14$

(2) $7175\div35-700\div35+525\div35$

$=(7175-700+525)\div35$

$=1400\div14$　　　　　　　　$=7000\div35$

$=100$　　　　　　　　$=200$

第 14 周

举一反三 1

1. $25\times3-16-25=34$(块)

2. $12\times(4+1)+7=67$(只)

3. $30\times(3+1)+14=134$(棵)

举一反三 2

1. $(1000+200)\div2=600$(元)

2. $(400-36)\div7=52$(只)

3. $(45\times9-27)\div3=126$(千克)

举一反三 3

1. 白围巾有:$(12+20)\div(5-1)=8$(条)

   红围巾有:$8+12=20$(条)　　蓝围巾有:$8\times5=40$(条)

2. 乙筐:$(12+15)\div(4-1)=9$(个)

   甲筐:$9+12=21$(个)　　丙筐:$9\times4=36$(个)

3. 男生:$(1+1)\div(2-1)+1=3$(人)

   女生:$3+1=4$(人)

举一反三 4

1. $30-10\times30\div15=10$(箱)

2. $140\times3\div2-140=70$(幅)

3. $400-16\times400\div(16+9)=144$(本)

举一反三 5

1. $10-400\div(150\div3)=2$(时)

2. $30-600\div(360\div12)=10$(天)

3. $30-3600\div(1350\div9)=6$(天)

第 15 周

举一反三 1

1. $12-8+4=8$(时)　　$60\times8\div(8+2)=48$(千米/时)

2.12－6＋6＝12(时)　100×12÷(12－2)＝120(千米/时)

3.12－11＋2＝3(时)　60×3÷(3＋1)＝45(千米/时)

60－45＝15(千米/时)

举一反三 2

1.7×3×3＝63(支)

2.4×32×9＝1152(本)

3.(7×4＋4)×4＝128(天)

举一反三 3

1.一筐苹果重:(520－220)÷(5－2)＝100(千克)

一个大箱子重:220－100×2＝20(千克)

2.一桶水重:(390－240)÷(7－4)＝50(千克)

一个水缸重:240－50×4＝40(千克)

3.(650－350)÷(6－3)＝100(克)

举一反三 4

1.105÷(4＋5＋6)＝7(个)　苹果有:7×4＝28(个)

梨有:7×5＝35(个)　橘子有:7×6＝42(个)

2.250÷(5＋11＋9)＝10(只)　白兔有:10×5＝50(只)

灰兔有:10×11＝110(只)　黑兔有:10×9＝90(只)

3.360÷(2＋3＋4)＝40(本)　科技书:40×2＝80(本)

文艺书:40×3＝120(本)　故事书:40×4＝160(本)

举一反三 5

1.50×6÷(6－2)＝75(个)

2.15×5÷(5－2)＝25(个)

3.4×3÷(3－1)＝6(千克)

第 16 周

举一反三 1

1.5×(10－1)＝45(米)

2.4×(18÷2－1)＝32(米)

3.20÷5＋1＝5(个)　不够

举一反三 2

1. $100\div5+1=21$(根)

2. $50\div2+1=26$(面)

3. $75\div3+1=26$(棵)

举一反三 3

1. $32\div(5-1)=8$(米)

2. $25\div(12\div2-1)=5$(米)

3. $2\times(8-1)=14$(分)

举一反三 4

1. $60\div2-1=29$(个)

2. $70\div2-1=34$(个)

3. 5 米=500 厘米　　$500\div25-1=19$(件)

举一反三 5

1. $200\div10=20$(盏)

2. $40\times4\div20=8$(个)

3. $24\times3\div3=24$(面)

第 17 周

举一反三 1

1. 5 个:24,30,36,42,48

2. 7 个:16,24,32,40,48,56,64

3. 8,18

举一反三 2

1. $1000\div4=250$(个)

2. $1000\div7=142\cdots\cdots6$　　$10\div7=1\cdots\cdots3$　　$142-1=141$(个)

3. $1000\div3=333\cdots\cdots1$　　$100\div3=33\cdots\cdots1$　　$333-33=300$(个)

举一反三 3

1. 4 个

2. $2+100+100+89=291$(个)

3. $1000-(19\times9+1+100)=728$(个)

举一反三 4

1. 1×9+2×90+3×(100+1)=492(个)

2. 1×9+2×90+3×(214−9−90)=534(个)

3. 51−1×9=42(个)　　42÷2=21(页)　　21+9=30(页)

举一反三 5

1. (189−1×9)÷2=90(页)　　90+9=99(页)

99÷3=33(页)　　99+33=132(页)

2. (189−1×9)÷2=90(页)　　90+9=99(页)

99×3=297(页)　　297+99=396(页)

3. 个位上:每 10 个连续页码出现一次“1”,131÷10=13……1,共出现 13+1=14 次“1”。

十位上:每百个连续页码出现十次“1”,131÷100=1……31,余下的 31 个数中含 110~119,又在十位上出现了十次“1”,所以共出现了 20 次“1”。

百位上:从 100~131 共出现了 32 次“1”。

所以,“1”出现的次数是 14+20+32=66(次)

第 18 周

举一反三 1

1. 3+3−1=5(个)　　3+3−1=5(个)　　5×5=25(个)

2. (2+4−1)×(3+5−1)=35(人)

3. (5+6−1)×(3+3−1)=50(人)

举一反三 2

1. (30+6)÷2=18(厘米)

2. (35+11)÷2=23(厘米)

3. 180+20−85=115(厘米)

举一反三 3

1. 36+38−55=19(人)

2. 75×2−130=20(厘米)

3. 21+17−(42−10)=6(名)

举一反三 4

1. 37+42−31=48(人)

2.90×2－15＝165(厘米)

3.78＋77－107＝48(人)

举一反三 5

1.46－5－29＋5＝17(人)

2.29＋17－(46－5)＝5(人)

3.23－(43－2－25)＝7(人)

第 19 周

举一反三 1

1.3×2＝6(种)

2.3×4＝12(种)

3.2×3×4＝24(种)

举一反三 2

1.7 种:14 平方厘米,26 平方厘米,36 平方厘米,44 平方厘米,50 平方厘米,54 平方厘米,56 平方厘米

2.6 种:15＝9＋3＋2＋1　　15＝6＋5＋3＋1

15＝8＋4＋2＋1　　15＝6＋4＋3＋2

15＝7＋5＋2＋1　　15＝7＋4＋3＋1

3.4 组(1,1,18)(1,2,9)(1,3,6)(2,3,3)

举一反三 3

1.5×6÷2＝15(场)

2.19×(19－1)÷2＝171(次)

3.4×5÷2＝10(种)

举一反三 4

1.(2＋1)×2＝6(种)

2.3＋2＋1＝6(种)　2＋1＋1＝4(种)

3.4＋3＋2＋1＋1＋2＋3＋4＝20(种)

举一反三 5

1.第一个数取 1 时,另一个数可以是 2,3,4……48,共 47 种;

当第一个数取 2 时,另一个数可以是 3,4,5……47,共 45 种;

当第一个数取3时，另一个数可以是4，5，6……46，共43种；

……

当第一个数取24时，另一个数只能取25，共1种。

因此，共47＋45＋43＋……＋3＋1＝576(种)

2.两颗珠全在下面：2000，1001，1010，1100

两颗珠全在上面：5005，5050，5500

两颗珠上下各一颗：6000，1005，1050，1500，5001，5010，5100

共有：4＋3＋7＝14(个)

3.(1)第1把钥匙最多要试9次可以找到相应的锁，第2把钥匙最多要试8次才能找到相应的锁，第3把钥匙最多要试7次才能找到相应的锁……第9把钥匙最多要试1次才能找到相应的锁，第10把钥匙不用试了，就是剩下的一把锁。所以最多共要试9＋8＋7＋6＋5＋4＋3＋2＋1＝45次，可以找到相应的锁。

(2)第1把钥匙最多要试10次才能打开相应的锁，第2把钥匙最多要试9次才能打开相应的锁……第10把钥匙要试1次。因此共要试10＋9＋8＋7＋6＋5＋4＋3＋2＋1＝55次才能打开相应的锁。

第20周

举一反三1

1.1个○＝6个●

2.1根香蕉＝3个苹果

3.1个△＝2个○

举一反三2

1.1个菠萝重400克

2.1只猴子重1200克

3.1个乒乓球重10克

举一反三3

1.7－4÷2＝5(个)

2.8－9÷3＝5(只)

3.5－6÷2＝2(只)

举一反三 4

1. (1500＋1800＋1300)÷2＝2300(克)　　鸭:2300－1500＝800(克)

   鸡:2300－1800＝500(克)　　猴:2300－1300＝1000(克)

2. (90＋140＋150)÷2＝190(千克)　　香蕉:190－90＝100(千克)

   苹果:190－140＝50(千克)　　橘子:190－150＝40(千克)

3. (35＋43＋33＋48)÷3＝53(个)　　白气球:53－35＝18(个)

   红气球:53－43＝10(个)　　绿气球:53－48＝5(个)

   蓝气球:53－33＝20(个)

举一反三 5

1. 装 4 盆水需要 7×(4÷2)＝14 个大杯子,4 盆水＝3 桶水,那么 6 桶水,需要 14×(6÷3)＝28 个大杯子。

2. 根据题意:买 2 个西瓜的钱可以买 3 个香瓜,则买 6 个西瓜的钱可以买 3×(6÷2)＝9 个香瓜,9 个香瓜的钱＝25 个桃子的钱,即买 6 个西瓜的钱可以买 25 个桃子,所以买 12 个西瓜的钱可以买 25×(12÷6)＝50 个桃子。

3. 比较一、二两层可以推出:1 个大球的重量＝2 个中球的重量。

   比较一、三两层可以推出:1 个中球的重量＝2 个小球的重量。

   所以中球重:150×2＝300(克)

   大球重:300×2＝600(克)

第 21 周

举一反三 1

1. 284－(80－30)＝234

2. 254＋(5－3)＝256

3. 592－(70－20)＋(8－5)＝545

举一反三 2

1. (35＋20)×4＝220　　220×4＋20＝900

2. (36－4)÷2÷2－4＝4

3. [(40－4)÷2＋4]×2＝44

举一反三 3

1. 第一个乘数:(1260－1080)÷(8－4)＝45　第二个乘数:1260÷45＝28

2. 第一个乘数：$(875-805)\div(5-3)=35$　第二个乘数：$805\div35=23$

3. $5\times7-7=28$

举一反三 4

1. $715-463=252$　$252\div(10-1)=28$

$28\times10=280$　$715-280=435$

2. $898-610=288$　$288\div(10-1)=32$　$610-32=578$

3. $294-96=198$　$198\div(10-1)=22$……减数

$22+294=316$……被减数

举一反三 5

1. 如果这个三位数可以用□来表示，则有：(□＋3000)－(□×10＋3)＝1071 或(□×10＋3)－(□＋3000)＝1071，经计算□＝214 或 452。

2. 若用□来表示这个四位数，依题意有：(□＋60000)－(□×10＋4)＝41969 或(□×10＋4)－(□＋60000)＝41969，经计算□＝2003。

3. 根据题意有 1995－□÷15＋21＝2003，可得□＝195，所以正确的结果是 $(1995-195)\div15+21=141$。

第 22 周

举一反三 1

1. 橘子：$(342-270)\div(7-5)=36$(千克)

苹果：$(270-36\times5)\div3=30$(千克)

2. 童话书：$(174-144)\div(9-6)=10$(元)

故事书：$(144-10\times6)\div7=12$(元)

共需花：$10\times7+12\times6=142$(元)

3. 面粉：$(340\times2-600)\div(3\times2-5)=80$(千克)

大米：$(600-80\times5)\div4=50$(千克)

或 $(340-80\times3)\div2=50$(千克)

举一反三 2

1. 番茄：$(330\times2-310)\div(5\times2-3)=50$(千克)

黄瓜：$(330-50\times5)\div2=40$(千克)

2. 圆珠笔：$(10\times2-14)\div(4\times2-5)=2$(元)

练习本:(14－2×5)÷4＝1(元)

3. 裤子:(480×2－640)÷(3×2－2)＝80(元)

上衣:(480－80×3)÷2＝120(元)

举一反三 3

1. (12＋17＋13)÷2＝21(岁)　　小丽:21－12＝9(岁)

小明:21－17＝4(岁)　　小红:21－13＝8(岁)

2. (70＋82＋76)÷2＝114(本)　　科技书:114－70＝44(本)

故事书:114－82＝32(本)　　连环画:114－76＝38(本)

3. (152＋128＋168)÷2＝224(盆)　　红菊花:224－152＝72(盆)

白菊花:224－128＝96(盆)　　黄菊花:224－168＝56(盆)

举一反三 4

1. (37＋54＋51)÷2＝71(双)　　皮鞋:71－37＝34(双)

运动鞋:71－54＝17(双)　　布鞋:71－51＝20(双)

2. (23＋19＋16)÷2＝29(人)　　数学:29－23＝6(人)

语文:29－19＝10(人)　　英语:29－16＝13(人)

3. 题目中告诉我们“93 个不是红气球”,说明黄、蓝、紫气球共 93 个,“95 个不是黄气球”,说明红、蓝、紫气球共有 95 个,“98 个不是蓝气球”,说明红、黄、紫气球共有 98 个,再根据“紫气球有 10 个”,这样我们可求出红、黄、蓝气球的总个数为:(93＋95＋98－10×3)÷2＝128(个)

那么四种气球总个数为:128＋10＝138(个)

举一反三 5

1. 5 个梨的质量＝1 个西瓜的质量

2. 3 个橘子的质量＝7 个荔枝的质量

3. 1 支钢笔的价格相当于 8 支铅笔的价格。

第 23 周

举一反三 1

1. 1 千克苹果:(4＋8)÷(6－3)＝4(元)　　带的钱:4×3＋4＝16(元)

2. 人数:(12＋4)÷(8－4)＝4(人)　　树的棵数:4×4＋12＝28(棵)

3. 人数:(12－6)÷(3－2)＝6(人)　　书的本数:2×6＋12＝24(本)

举一反三 2

1. 比较两种分配方案，结果相差 20＋40＝60 个，这是因为两种方案每人分的个数相差 3－2＝1 个。所以有 60÷1＝60 个小朋友，共有 2×60＋20＝140 个积木。

   综合算式：(20＋40)÷(3－2)＝60(个)……小朋友的人数

   2×60＋20＝140(个)……积木的个数

2. 解题思路与第(1)题类似。

   (10＋16)÷(8－6)＝13(间)……宿舍的间数

   6×13＋16＝94(人)……学生的人数

3. 根据题意，按现有船数安排，每船坐 6 人，还要有 6 人无船坐；如果每船坐 9 人，还要有 9 人才能坐满每条船。两种方案结果相差 9＋6＝15(人)，而每条船所坐人数相差 9－6＝3(人)，所以，现在有船：15÷3＝5(条)，共有学生 6×5＋6＝36(名)。

   综合算式：6×[(9＋6)÷(9－6)]＋6＝36(名)

举一反三 3

1. (1＋2)÷(6－4)＝1.5(元)……每本练习本的价钱

   1.5×4＋1＝7(元)……付给营业员的钱数

2. (4＋4)÷(7－5)＝4(个)　　4×5＋4＝24(支)

3. 3×5＋10＝25(个)　(25＋2)÷(8－5)＝9(个)

   9×8－2＝70(个)

举一反三 4

1. 人数：(12－2)÷(6－4)＝5(人)　糖果粒数：4×5＋12＝32(粒)

2. 人数：(12－6)÷(7－6)＝6(人)　苹果个数：6×6＋12＝48(个)

3. 宿舍间数：(24－2)÷(10－8)＝11(间)　人数：8×11－24＝64(人)

举一反三 5

1. (260－200)÷(50－45)＝12(个)……敌人的人数

   45×12＋260＝800(发)……子弹的发数

2. 比较两种分配方案，第一种方案比第二种方案每人少分 8－7＝1 本，就可少分 7 本，所以有学生 7÷1＝7 人，进而可求练习本的总数为 8×7＝56 本。

   综合算式：7÷(8－7)＝7(人)……学生人数

$8\times7=56$(本)……练习本本数

3. 要求每人分多少支彩色笔才能刚好分完，就要知道彩色笔的总支数和学生总人数。根据题意，学生人数为$(12-3)\div(8-5)=3$人，彩色笔的总支数为$5\times3+12=27$支。所以要刚好把彩色笔分完，每人要分$27\div3=9$支彩色笔。

第 24 周

举一反三 1

1. □=5　○=2　　2. ☆=5　○=3　　3. □=2　△=4

举一反三 2

1. □=9　△=5　　2. ☆=10　△=15　　3. ○=3　□=15

举一反三 3

1. □=3　○=16　　2. □=12　△=8　　3. ○=3　□=1　△=5

举一反三 4

1. ☆=12　△=0　　2. ○=10　△=12　　3. □=12　△=15

举一反三 5

1. ○=20　□=20　△=30
2. △=15　□=10　○=15
3. ○=80　□=120　☆=30

第 25 周

举一反三 1

1. 小明：$800\div(1+3)=200$(元)　　小红：$200\times3=600$(元)
2. 二年级：$(360-60)\div(1+2)=100$(本)

   三年级：$100\times2+60=260$(本)
3. $(25+17)\div(1+5)=7$(千克)　　$17-7=10$(千克)

举一反三 2

1. $(80+60)\div(1+4)=28$(张)　　$60-28=32$(张)
2. $(69+36)\div(1+2)=35$(吨)　　$69-35=34$(吨)

   $34\div2=17$(分)
3. $(18+8+16)\div(2+1)=14$(本)

   给乙书架：$14-8=6$(本)　　给甲书架：$16-6=10$(本)

举一反三 3

1.(920－20)÷(2＋1)＝300(本)……连环画

920－300＝620(本)……故事书

2.(560－120)÷(3＋1)＝110(只)……鸭

560－110＝450(只)……鸡

3.(72－12)÷(4＋1)＝12(筐)……梨

72－12＝60(筐)……苹果

举一反三 4

1.第一筐:(130－10)÷(1＋3＋6)＝12(个)

第二筐:12×3＝36(个)　　第三筐:12×6＋10＝82(个)

2.一中队:(165－5＋20)÷(1＋2＋3)＝30(棵)

二中队:30×2＋5＝65(棵)　　三中队:30×3－20＝70(棵)

3.小徒弟:(500＋4)÷(1＋2＋2×3)＝56(米)

大徒弟:56×2＝112(米)　　师傅:112×3－4＝332(米)

举一反三 5

1.除数:120÷(7＋1)＝15　　被除数:15×7＝105

2.除数:(79－4)÷(4＋1)＝15　　被除数:15×4＝60

3.441－1－21＝419　　除数:(419－1)÷(1＋21)＝19

被除数:21×19＋1＝400

第 26 周

举一反三 1

1.男同学:42÷(4－1)＝14(人)　　女同学:14×4＝56(人)

2.羽绒服:960÷(5－1)＝240(元)　　皮衣:240×5＝1200(元)

3.乙筐:60×2÷(3－1)＝60(千克)　　甲筐:60×3＝180(千克)

举一反三 2

1.2400÷(7－1)＋2400＝2800(千克)

2.16÷(3－1)＝8(支)

3.160÷(3－1)＝80(本)

举一反三 3

1.乙:420×2÷(5－1)＝210(吨)　　甲:210×5＝1050(吨)

2. 文峰公园：882×2÷(8－1)＝252(盆)

园博公园：252×8＝2016(盆)

3. 三(1)班：(160×2＋40)÷(3－1)＝180(元)

六(1)班：180×3＝540(元)

举一反三 4

1. 除数：168÷(22－1)＝8　　被除数：8＋168＝176

2. 除数：212÷(5－1)＝53　　被除数：53＋212＝265

3. 商：144÷(7－1)＝24　　被除数 24＋144＝168

举一反三 5

1. (192－2)÷(6－1)＝38……除数

38＋192＝230……被除数

2. (95－3)÷(5－1)＝23……除数　　23＋95＝118……被除数

3. (143－1)÷(3－1)＝71……除数　　71＋143＝214……被除数

第 27 周

举一反三 1

1. 第二盒：(60＋3)÷(8－1)＋3＝12(个)

第一盒：12＋60＝72(个)

2. 第一层：(12＋6)÷(4－1)＋6＝12(本)

第二层：12＋12＝24(本)

3. 甲桶：(20＋5×2)÷(4－1)＋5＝15(千克)

乙桶：15＋20＝35(千克)

举一反三 2

1. 乙有：(30－6)÷(4－1)＝8(元)　　甲有：8×4＝32(元)

2. (115－15)÷(5－1)＝25(元)　　25×5＝125(元)

3. (19－1)÷(4－1)×4＝24(元)

举一反三 3

1. (720－120)÷(3－1)＝300(千克)　　300－120＝180(千克)

2. (48－18)÷(2－1)＝30(个)　　30＋48＝78(个)

3. 甲：(6＋14)÷(3－1)＝10(千克)　　乙：10×3＝30(千克)

举一反三 4

1. 面粉:(30+110)÷(3-1)=70(千克)　大米:70×3=210(千克)

2. 乙:(20+36)÷(2-1)=56(千克)　甲:56×2=112(千克)

3. 科普书:(120+40)÷(5-1)=40(本)　童话书:40×5=200(本)

举一反三 5

1. 第二根剩下的:(28-20)÷(3-1)=4(米)

   第一根剩下的:4×3=12(米)

2. (46-19)÷(4-1)=9(米)

   原来两根电线各长:9+46=55(米)

3. (18-6)÷(3-1)=6(千克)　6+18=24(千克)

第 28 周

举一反三 1

1. 第一筐水果重:(124+8)÷2=66(千克)

   第二筐水果重:66-8=58(千克)

2. 小慧身高:(264+8)÷2=136(厘米)

   小宁身高:136-8=128(厘米)

3. 三(2)班:(124+2×2)÷2=64(人)

   三(1)班:124-64=60(人)

举一反三 2

1. 三年级:(218×2-10)÷2=213(人)

   四年级:213+10=223(人)

2. 女生:(20×2-4)÷2=18(人)　男生:18+4=22(人)

3. 小红:(688÷4-4)÷2=84(下)　小芳:84+4=88(下)

举一反三 3

1. 下层书架:(72-9×2)÷2=27(本)　上层书架:72-27=45(本)

2. 妹妹:(40-7×2)÷2=13(块)　姐姐:40-13=27(块)

3. (16+4-2)÷2=9(只)

   甲笼:9-4=5(只)　乙笼:9+2=11(只)

举一反三 4

1. 30×2+20−50=30(千克)

甲：(130+30)÷2=80(千克)　　乙：130−80=50(千克)

2. 5+8×2−6=15(支)

甲：(35+15)÷2=25(支)　　乙：35−25=10(支)

3. 59+49+85=193　　甲：(193−49)÷2=72

乙：(193−85)÷2=54　　丙：(193−59)÷2=67

举一反三 5

1. 第三车间：[280−15−(15+10)]÷3=80(人)

第二车间：80+15=95(人)　　第一车间：95+10=105(人)

2. 第三名：[857−125−(125+250)]÷3=119(元)

第二名：119+125=244(元)　　第一名：244+250=494(元)

3. 语文：(95×3−6−9)÷3=90(分)

数学：90+6=96(分)　　英语：90+9=99(分)

第 29 周

举一反三 1

1. (12−4)÷2+4=8(岁)

2. (14−5)×7+5=68(岁)

3. 10−(34−10)÷(4−1)=2(年)

举一反三 2

1. 6÷(3−1)+4+6=13(岁)

2. 姐姐：(46+6)÷2=26(岁)　　妹妹：46−26=20(岁)

3. 28÷(3−1)−1=13(岁)

举一反三 3

1. 54−(18+10)=26(岁)

2. (80−18−10)÷2=26(岁)

3. (15+15)÷(6−1)×6=36(岁)

举一反三 4

1. 小军:25÷5×2=10(岁)　　　　　　小强:25－10=15(岁)

2. 39－18 的差就是师徒年龄差的 3 倍。(39－18)÷3=7(岁)

徒弟:7+18=25(岁)　　　　　　　师傅:39－7=32(岁)

3. 弟弟:(31－5×2)÷(2+1)=7(岁)　哥哥:7×2=14(岁)

举一反三 5

1. (80－30－25－17)÷(3－1)=4(年)

2. [(20+18)×2－(12+8)×3]÷(3×2－2×2)=8(年)

3. 过四年四口人应增加 4×4=16 岁,但实际只增加了 73－58=15 岁,相差 1 岁,说明弟弟在四年前尚未出生,因此今年弟弟 3 岁;姐姐(萌萌)今年 3+2=5 岁;妈妈今年[73－(5+3)－3]÷2=31 岁;爸爸今年 31+3=34 岁。

第 30 周

举一反三 1

1. (27÷9+20)×4－18=74(岁)

2. (100÷2－2)÷3×6=96(只)

3. 10÷2×3－9+6=12　　抽到的是 Q

举一反三 2

1. 6×2－10=2(个)

2. 6×2<13 所以丙组多,多 13－12=1(本)

3. 甲:30+13－3=40(张)　　　　　　乙:30+23－13=40(张)

丙:30+3－23=10(张)

举一反三 3

1. [(6+2)×2+1]×2=34(个)

2. [(80+5)×2+10]×2=360(元)

3. [(5－2)×2+2]×2=16(个)

举一反三 4

1. 90÷3=30(千克)　　　　　　　甲:30+15－17=28(千克)

乙:30+20－15=35(千克)　　丙:30+17－20=27(千克)

2.156÷3=52(人)　　三(1)班:52+5－4=53(人)

三(2)班:52+8－5=55(人)　　三(3)班:52+4－8=48(人)

3.112÷4=28(本)　　小林:28+10－14=24(本)

小方:28+12－10=30(本)　　军军:28+20－12=36(本)

小敏:28+14－20=22(本)

举一反三 5

1.(26÷2－5)×2=16(块)

2.[(28－6)÷2－3]×2=16(只)

3.24÷2=12(千克)　　24+12=36(千克)

乙:36÷2=18(千克)　　甲:12+18=30(千克)

第 31 周

举一反三 1

1.兔:(280－2×100)÷(4－2)=40(只)　鸡:100－40=60(只)

2.兔:(160－2×50)÷(4－2)=30(只)　鸡:50－30=20(只)

3.1 元=10 角　　19 元=190 角

5 角:(25×10－190)÷(10－5)=12(枚)

1 元:25－12=13(枚)

举一反三 2

1.兔:(170－25×2)÷(4+2)=20(只)　鸡:20+25=45(只)

2.甲种:(97－3×9)÷(4+3)=10(张)　乙种:10+9=19(张)

3.(48－42)÷(4－2)=3(只)

鸡:(48－4×3)÷(4+2)=6(只)　　兔:6+3=9(只)

举一反三 3

1.(10×15－102)÷(10+2)=4(道)　15－4=11(道)

2.(30×400－8880)÷(100+30)=24(箱)

3.(25×250－5350)÷(25+20)=20(件)

举一反三 4

1.9÷(1×3－2)×3＝27(个)

2.12÷(1×4－2)×4＝24(个)

3.10÷(1×7－2)×7＝14(盒)

举一反三 5

1.女生:(43×2－56)÷(2×2－1)×2＝20(人)

男生:43－20＝23(人)

2.小班:(180×2－240)÷(2×2－1)×2＝80(人)

大班:180－80＝100(人)

3.(480－300)÷20＝9(千克)　　　　20－9＝11(千克)

(11×30－300)÷(30－25)＝6(千克)

第 32 周

举一反三 1

1.(92＋96＋94)÷3＝94(分)

2.(260＋300＋280＋312)÷4＝288(人)

3.(32＋38＋50)÷4＝30(千克)

举一反三 2

1.(52＋70＋46)÷4＝42(本)

2.(180＋103＋81)÷4＝91(人)

3.(43＋43－10)÷4＝19(只)

举一反三 3

1.(197＋91)÷3＝96(分)

2.(103×2＋115)÷3＝107(厘米)

3.(25×4＋110)÷(4＋3)＝30(页)

举一反三 4

1.(13×7＋25×5)÷(7＋5)＝18(千克)

2.(124×2＋130×4)÷(2＋4)＝128(厘米)

3.60×8×2÷(8+7)=64(千米/时)

举一反三 5

1.(152+144+148×6)÷(1+1+6)=148(厘米)

2.(150+136+143×4)÷(1+1+4)=143(厘米)

3.(90×2+70+78×5)÷(2+1+5)=80(分)

第 33 周

举一反三 1

1.22×4−20×3=28(千克)

2.93×3−92×2=95(分)

3.32+1×3=35(千克)

举一反三 2

1.92+1×5=97(分)

2.82+4×4=98(分)

3.(8×10−6×6)÷(10−6)=11(页)

举一反三 3

1.2+(5−4)×5=7

2.87+(94−92)×4=95(分)

3.10−(5−3)×3=4

举一反三 4

1.30×3+36×2−34×4=26

2.95×2+98×3−100×4=84

3.92×3+88×2−89×4=96(分)

举一反三 5

1.60×2÷(60÷20+60÷30)=24(千米/时)

2.120×2÷(120÷30+120÷20)=24(千米/时)

3.300×2÷(300÷30+300÷60)=40(个)

第 34 周

举一反三 1

1. 芳芳最高，婷婷最矮。

2. 黄颖穿蓝衣服，李红穿粉红衣服，马娜穿花衣服。

3. 一定有。

举一反三 2

1. 1 对面是 5，2 对面是 4，3 对面是 6。

2. △对⬠　○对□　☆对▱

3. 5 对着 4，2 对着 3，1 对着 6。

举一反三 3

1. 80280280　　2. 654665　　3. 7543210

举一反三 4

1. 是王艺打碎了玻璃。

2. 小李喝了一杯酒，小张喝了两杯酒，小王喝了三杯酒。

3. 三(3)班第一名，三(4)班第二名，三(2)班第三名，三(1)班第四名。

举一反三 5

1. 小徐是教师，小王是工人，小李是工程师。

2. 张明妹妹是小红，刘艺妹妹是小英，王天妹妹是小平。

3. 甲教数学课，乙教英语课，丙教语文课。

第 35 周

举一反三 1

1. 测量每个楼梯的宽度，再测量每个楼梯的高度，然后再加起来。也可以直接测量楼梯的高度与它的长度，然后再加起来。

2. $(110+200)\times2=620$(米)

3. $3\times4=12$(厘米)

举一反三 2

1. $3\times3\times4=36$(厘米)

2. $(2\times4+2\times2)\times2+2\times2=28$(厘米)

3.解一：(24＋1)×2＝50(厘米)

解二：(12＋2)×2＝28(厘米)

解三：(6＋4)×2＝20(厘米)

解四：(8＋3)×2＝22(厘米)

举一反三 3

1.10÷2×4＝20(厘米)

2.28÷2×4＝56(分米)

3.(48＋48÷3)×2＝128(厘米)

举一反三 4

1.3×4×4＝48(厘米)

2.(4×3＋4×2)×2＝40(厘米)

3.(3×3＋2×2)×2＝26(厘米)

举一反三 5

1.12×(2×2)＝48(厘米)

2.20×(2×2＋2)＝120(厘米)

3.8×(2×2)＋6×2＝44(分米)

第 36 周

举一反三 1

1.38÷2＝19(厘米)

宽：(19－5)÷2＝7(厘米)　　周长：(5＋7)×2＝24(厘米)

2.宽：(16＋2)÷2÷(2＋1)＝3(米)　　长：3×2＝6(米)

3.20＋20÷4×2＝30(厘米)

举一反三 2

1.(100－10×4)÷2－20＝10(厘米)

2.[78－(12＋9)×2]÷4＝9(厘米)

3.7×4＋(12＋10)×2＝72(厘米)

举一反三 3

1.6×4×4÷2－6＝42(厘米)

2.10×4×2÷2－10＝30(厘米)

3.(28－15＋15)×2＝56(厘米)

举一反三 4

1.(64÷4＋64÷4÷4)×2＝40(厘米)

2.(48÷4÷2＋48÷4÷3)×2＝20(厘米)

3.60÷2÷(1＋4)＝6(厘米)　6×4÷3＝8(厘米)

周长:(8＋6)×2＝28(厘米)

举一反三 5

1.周长不变

2.(2＋1)×2＝6(米)

3.周长减少了,减少:(10－8)×2＝4(厘米)

第 37 周

举一反三 1

1.4×4＝16(平方厘米)

2.6×6＝36(平方分米)

3.(3－2)×2＝2(平方米)

举一反三 2

1.36÷4＝9(厘米)　9×9＝81(平方厘米)

2.400÷4＝100(米)　100×100＝10000(平方米)

3.(40＋20)×2÷4＝30(米)　30×30＝900(平方米)

举一反三 3

1.20×15＋(30－20)×40＝700(平方厘米)

2.2×2＋(1＋1＋2)×3＝16(平方厘米)

3.5×2＋4×(5－1－1－1)＋1×1＝19(平方厘米)

举一反三 4

1.8×8×2－4×4＝112(平方厘米)

2.7×7＋5×5－2×2×2＝66(平方分米)

3.9×6－5×5＝29(平方厘米)

举一反三 5

1.(20×16)÷(4×4)＝20(个)

2.16 米＝160 分米　12 米＝120 分米

$(160\times120)\div(4\times4)=1200$(块)

3. $(26\times18)\div(3\times3)=52$(个)

第 38 周

举一反三 1

1. 起床后至少 18 分钟就能上学了。

2. 小明至少要花费 17 分钟。

3. 需要 15 分钟客人就能喝上茶。

举一反三 2

1. 最少需要 5 分钟。

2. 烤三个面包最少需要 6 分钟。

3. 最少需要 42 分钟。

举一反三 3

1. 顺序是 D、B、C、A。打水的总时间是 30 分钟。

2. 顺序为丁、丙、甲、乙。最少时间是 20 分钟。

3. 顺序为丙、甲、乙。最少时间是 20 分钟。

举一反三 4

1. $1\times(20\times4+30\times3)\times20=3400$(元)

2. $2\times(10\times1+20\times2)\times100=10000$(元)

3. 把物品放在 B 仓库才能使运输的路程总和最少

最少是:$520+520+520+600+600=2760$(米)

举一反三 5

1. 第一次农民带鸡过河,第二次农民带狗过河,返回时把鸡带走,第三次农民带米过河,留下鸡,最后再带鸡过河。

2. $(2+1)+(6+2)+2=13$(分)

3. $(3+2)+(8+3)+3=19$(分)

第 39 周

举一反三 1

1. $3+2+1+1=7$(个)

2. $3+2+1+1=7$(个)

3. 提示：2000 年是闰年，全年 366 天，把全年天数看做“抽屉”，把学生看做“苹果”。

举一反三 2

1. 3 个水果　　2. 3 本书　　3. 5+2=7(本)

举一反三 3

1. 3+3+1=7(个)

2. 4+3+1=8(本)

3. 不能。因为 1+2+3+4+5+6+7+8+9+10=55 朵，要分给 10 个小朋友，使每个小朋友都有花，且花的朵数互不相同，至少要 55 朵花。

举一反三 4

1. 3×30=90(件)　　92-90=2(件)

有人单独有 4 件或 4 件以上玩具。

2. 2×6=12(棵)　　14-12=2(棵)

有班级种了 3 棵或 3 棵以上的树。

3. 4×3=12(支)　　14-12=2(支)

有人有 5 支或 5 支以上铅笔。

举一反三 5

1. (35+37+38+50)-52×3=4(人)

2. (35+36+26+32)-40×3=9(人)

3. (41+30+45+38)-(50-3)×3=13(人)

第 40 周

举一反三 1

1. 解一：12×4-4=44(根)

解二：12×2+(12-2)×2=44(根)

解三：(12-1)×4=44(根)

2. 解一：10×3-3=27(棵)

解二：10+(10-1)+(10-2)=27(棵)

解三：(10-1)×3=27(棵)

3. 解一：6×4-4=20(人)

解二：6×2+(6-2)×2=20(人)

解三：$(6-1)\times4=20$（人）

举一反三 2

1. 解一：大米：$(50-27)\times2=46$（千克）

箱子：$50-46=4$（千克）

解二：箱子：$27-(50-27)=4$（千克）

大米：$50-4=46$（千克）

解三：箱子：$27\times2-50=4$（千克）

大米：$50-4=46$（千克）

2. 解一：苹果：$(85-45)\times2=80$（千克）

筐：$85-80=5$（千克）

解二：筐：$45-(85-45)=5$（千克）

苹果：$85-5=80$（千克）

解三：筐：$45\times2-85=5$（千克）

苹果：$85-5=80$（千克）

3. 解一：橘子：$(45-15)\div3\times4=40$（千克）

筐：$45-40=5$（千克）

解二：筐：$(15\times2\times2-45)\div(4-1)=5$（千克）

橘子：$45-5=40$（千克）

举一反三 3

1. 解一：$(18+15+13)\div2=23$（支）

小明：$23-18=5$（支）　　小红：$23-15=8$（支）

解二：$13-(18-15)=10$（支）

小明：$10\div2=5$（支）　　小红：$5+(18-15)=8$（支）

2. 解一：$(420+370+180)\div2=485$（吨）

甲：$485-420=65$（吨）　　乙：$485-370=115$（吨）

解二：$180-(420-370)=130$（吨）

甲：$130\div2=65$（吨）　　乙：$65+(420-370)=115$（吨）

3. 解一：$(25+18+13)\div2=28$（千克）

甲：$28-25=3$（千克）　　乙：$28-18=10$（千克）

解二：$13-(25-18)=6$（千克）

甲：$6\div2=3$（千克）　　乙：$3+(25-18)=10$（千克）

举一反三 4

1. 解一:40+14+16−40=30(棵)

解二:14+16=30(棵)

2. 解一:84+36−12−84=24(本)

解二:36−12=24(本)

3. 解一:68−(68−9−5)=14(个)

解二:9+5=14(个)

举一反三 5

1. 解一:(68+44+42)÷2=77(岁)

小明:77−68=9(岁)　　妈妈:77−44=33(岁)

爸爸:77−42=35(岁)

解二:68−44=24(岁)

妈妈:(42+24)÷2=33(岁)　　小明:(42−24)÷2=9(岁)

爸爸:68−33=35(岁)

2. 解一:(92+71+95)÷2=129(支)

钢笔:129−92=37(支)　　铅笔:129−71=58(支)

圆珠笔:129−95=34(支)

解二:92−71=21(支)

铅笔:(95+21)÷2=58(支)　　圆珠笔:92−58=34(支)

钢笔:71−34=37(支)

3. 解一:(87+92+95)÷2=137(人)

丙:137−87=50(人)　　甲:137−92=45(人)

乙:137−95=42(人)

解二:95−92=3(人)

甲:(87+3)÷2=45(人)　　乙:87−45=42(人)

丙:95−45=50(人)